Pour Zygmunt

Le temps revient

qui toujours,

avec une
fidèle amitié,

Michel Maffesoli

Paris 17. VI
2011

Michel Maffesoli

Le temps revient

Formes élémentaires
de la postmodernité

« Des Paroles et des Hommes »

DESCLÉE DE BROUWER

« Des Paroles et des Hommes »
collection dirigée par Christophe Mory

michel.maffesoli@ceaq-sorbonne.org

© Desclée de Brouwer, 2010
10, rue Mercœur, 75011 Paris
ISBN : 978-2-220-06192-4

À Patrick WATIER qui,
avec constance,
assure les fondations sociologiques.

Lorsque se produit une erreur dans laquelle tombent tous les hommes, ou la plupart d'entre eux, je ne crois pas qu'il soit mauvais d'y revenir plusieurs fois pour la condamner.

Machiavel

L'enveloppementalisme
postmoderne

> *Quelqu'un n'a-t-il pas dit que les révolutions de l'esprit humain avaient toujours des avant-coureurs qui les annonçaient à leur siècle ?*

Alfred de Musset

Ils sont fort ennuyeux ceux qui, pleins de convictions, se croient obligés de penser à la place des autres et, donc, de parler en leur nom. Avez-vous remarqué, d'ailleurs, que très souvent ils emploient, pour désigner ces « autres », une expression significative : « Les gens » ! Ils ne sont pas loin de penser que ces « gens », justement, sont à leur service. Ou leur permettent de jouer leur rôle : celui de sauveurs du peuple. Chez ces chevaliers blancs de l'émancipation est enracinée profond cette certitude avant-gardiste, le peuple, tout à sa « fausse conscience », est un peu benêt, il est soumis à son ventre. Et c'est le cerveau des intellectuels révolutionnaires qui va lui apporter la délivrance à laquelle, sans le savoir, il aspire.

Notons qu'il s'agit là d'un juteux fonds de commerce. Toutes ces *belles âmes* gagnent leur vie en vendant des lotions sirupeuses. Mais elles le font en mimant la révolte, et en instillant un peu (pas trop) d'acide prussique dans leurs potions pleines de bons sentiments. C'est ainsi que l'on peut entendre tel chanteur à la mode ou telle actrice évaporée habitant les beaux quartiers, sans oublier un conteur de bluettes sentimentales, auteur de livres à succès, se jeter sur tous les micros passant à leur portée pour édicter, avec componction, les règles morales nécessaires pour sauver un monde en perdition.

On pourrait leur rétorquer qu'ils sont certainement suffisants mais non nécessaires, tant ce pissat d'âne tenant lieu d'analyse submerge les canaux officiels du conformisme ambiant. Il suffit de se souvenir que le besoin de se tromper soi-même est le moteur constant du conformisme de pensée. Ce qui fait d'eux des personnages épisodiques qui, leur quart d'heure de gloire passé, rejoindront, rapidement, l'ossuaire des pensées mortes.

Leur assurance est de surface, leurs poses ne trompent personne. Dans *Les hommes ont soif*, A. Koestler note : « Ce que vous appelez sa sincérité n'est que le regret de la vieille putain pour les jours perdus de sa virginité. » Expression forte mais judicieuse en ce qu'elle suggère à être prudent vis-à-vis des donneurs de leçons, et peut nous inciter à nous purger de ces convictions dont il a été question. Se purger afin d'être à même d'apprécier ce qui est en train de naître. Car c'est bien cela le problème : peut-on penser que les lois sociales sont immuables quand on sait que les lois régissant la physique sont en perpétuelle mutation ? Et c'est cette mutation que les bien-pensants s'emploient, continûment, à dénier.

Or, les *intersignes* sont là, irréfutables, qui établissent des liaisons, de plus en plus évidentes, entre des phénomènes différents et néanmoins convergents : un changement de fond est en train de s'opérer. La matrice sociale moderne se révèle de plus en plus inféconde. L'économie, les mouvements sociaux, l'imaginaire, voire le politique subissent les contrecoups d'une lame de fond dont on n'a plus fini de mesurer l'amplitude.

Mutation sociétale nécessitant une transmutation du langage. Telle est la postmodernité.

En même temps, il faut avoir l'humilité de reconnaître que ce passage d'un état à l'autre n'est point chose nouvelle. Humilité improbable tant le mythe d'un progrès infini nous obsède. Difficile, donc, d'admettre que, dans ce que G. Vico nommait les *corsi e ricorsi* des histoires humaines, il y ait des ressacs; retours violents de choses que l'on avait crues, définitivement, dépassées.

Et pourtant pour ne prendre que deux expressions de notre tradition culturelle, dès Anaximandre, en une pensée originelle, il est rappelé ce rapport constant entre *genesis kai phthora*, la genèse et le déclin. À quoi répond, comme un écho, la philosophie ésotérique du Moyen Âge : *solve et coagula*, dialogie encore entre la dissolution et la ré-coagulation. Toutes choses rendant attentif aux métamorphoses que l'on retrouve, constamment, dans la nature et la culture.

Dans le même ordre d'idées, une notion proposée par le sociologue P. Sorokin, spécialiste des œuvres de la culture, est on ne peut plus instructive : saturation. Processus quasiment chimique, rendant compte de la déstructuration d'un corps donné, suivie d'une restructuration avec les éléments mêmes de ce qui a été déconstruit. Il s'agit donc là d'une structure anthropologique que l'on peut voir à l'œuvre dans la philosophie, la littérature, la politique et dans l'existence quotidienne. Rapport intime et constant entre la *pars destruens* et la *pars construens*. Ce qui se détruit et se reconstruit en toutes choses. Vie et mort liées en un mixte étroit et infini.

Avant d'entrer dans le vif du sujet, il faut insister encore un peu (« il faut y revenir plusieurs fois », dit Machiavel) sur la difficulté à accepter, dans la tradition occidentale, une telle coïncidence des opposés. Et ce parce qu'en son sens étymologique elle étonne. Tel un coup de tonnerre, une telle idée frappe de stupeur car elle jette bas les sécurisations et autres certitudes, habituels gardiens de tout sommeil dogmatique. Mutation et transmutation suscitent toujours crainte et tremblement. Et l'on sait, de mémoire immémoriale, que tout conformisme, théorique ou existentiel, repose sur la peur. Conformisme méthodologique et épistémologique résultant de la peur des étudiants inféodés aux petits mandarins universitaires. Conformisme culturel qui, dans les salles de rédaction, fait uniformément parler du livre, du film, du spectacle, dont « il faut » parler de crainte de passer à côté de quelque chose d'important. Peur de la classe politique qui, élections obligent, préfère aller dans le sens du poil plutôt que d'innover, de proposer des idées prospectives qui seraient plus conformes à l'esprit du temps.

En bref, ce que Durkheim nommait le « conformisme logique » préfère continuer à gérer un *institué* connu qu'un *instituant* possiblement dangereux.

Voilà bien la difficulté qu'il y a d'appréhender la postmodernité naissante. En réduisant le réel touffu et complexe à une « réalité » mesurable. En compartimentant son approche en disciplines séparées, et exclusives entre elles, on arrive à une « vie sociale » où la vie, justement, est absente. La taxinomie, c'est-à-dire le prurit des lois, aboutissant à la taxidermie : on a tué pour mieux analyser. Du coup on ne peut pas voir, on ne sait pas voir, on refuse de voir le vécu, en ce qu'il a de dynamique et d'inquiétant aussi.

Le grand mensonge règne en maître dans la société *établie*. Écoutons, ici, Marcel Proust : « Ce n'est qu'à force de mentir aux autres, mais aussi de se mentir à soi-même, qu'on cesse de s'apercevoir qu'on ment. » La messe est dite! C'est ce mensonge-là qu'il faut s'employer à dépasser si, par honnêteté intellectuelle, on veut être en phase avec l'ambiance du moment, avec le bruit de fond du monde.

Cependant, la conspiration du silence n'est plus aussi hermétique qu'elle était jusqu'alors. En effet, l'on s'employait à cantonner le « postmodernisme » dans le domaine artistique. Cela ne mangeait pas de pain, évitait de repérer les faits et les effets postmodernes dans la vie sociale. Du bout des lèvres, on commence à susurrer que la crise en cours n'est pas simplement économique, mais bien « sociétale ».

Mais, lâcheté aidant, on ne va pas nommer un chat un chat. D'où ces formules alambiquées faisant florès: modernité seconde, modernité tardive, surmodernité, haute modernité, hypermodernité, seconde modernité… (ami lecteur, à toi de compléter la liste). On attend une « modernité avancée » ou « faisandée », symbole d'un corps pourrissant. Trêve de plaisanteries. La maison brûle et l'on veut sauver les meubles. Disons-le crûment:

il s'agit de préserver, par peur, par dogmatique, les valeurs qui s'élaborèrent, en un
moment donné (XVIIᵉ-XIXᵉ siècles) en un lieu
donné : l'Europe. Valeurs propres au « contrat
social », et que l'on présente comme étant
universelles, applicables sans distinction, en
tous lieux et en tous temps.

Les expressions citées sont le faux nez d'un
universalisme dont on ne veut pas admettre
qu'il ait fait son temps. Ce sont, en fait, des
tactiques d'évitement. Éviter de reconnaître
que les pièces maîtresses de l'architectonique occidentale, sur lesquelles il faudra
revenir (individu, raison, économie, progrès)
sont saturées. L'origine religieuse d'un tel
universalisme a bien été analysée[1]. Il est
urgent de montrer que c'est cette origine
même, le monothéisme propre à la tradition
sémitique, qui n'est plus en phase avec un
polythéisme, un polyculturalisme, voire un
paganisme, caractérisant, empiriquement, la
situation actuelle.

Mais puisqu'il s'agit de donner un cadre à
l'analyse, de dresser une forme afin que res-
sortent mieux les caractéristiques essentielles

[1]. *Cf.* A. Badiou, *Saint Paul*, PUF, 1997.

de cette postmodernité, peut-être n'est-il pas inutile, sinon d'en faire un historique exhaustif (ce qui serait l'objet d'un travail spécifique), du moins de proposer deux moments pouvant *illustrer* celle-ci.

La saturation de la modernité peut se situer dans les années 1950.

En effet, à cette époque émerge le « postmodernisme » architectural. Pour reprendre le titre du livre manifeste de son promoteur[2], R. Venturi, il s'agit de revaloriser l'ambiguïté, la complexité en architecture, là où régnait en maître le fonctionnalisme moderne. L'école du Bauhaus en Allemagne de 1919 à 1932 avait jeté les fondements d'une technique moderne où l'angle droit et l'esthétique fonctionnelle allaient triompher. Le modernisme du Bauhaus se retrouve, sous forme artistique, chez Le Corbusier, mais aussi, d'une manière bien plus obscène, dans les constructions d'une affligeante monotonie caractéristiques des banlieues de toutes les villes européennes. Minimalisme esthétique traduisant bien, d'un point de vue architectural,

---

[2]. R. Venturi, *De l'ambiguïté en architecture*, Dunod, 1976.

l'utilitarisme, la « machinisation » propres à la société moderne.

C'est bien contre cela que le *postmodernisme* va privilégier le retour à l'ambiguïté et la complexité comme éléments fondateurs de l'humaine nature. Nécessité de la part d'ombre, importance de l'irrégularité baroque, goût du pathétique, conjonction des choses opposées, métissage, diversité, patchwork, profondeur de la surface, nombreuses sont les spécificités de la mosaïque postmoderniste que les architectes de cette mouvance vont mettre en œuvre.

Leurs constructions : maisons, quartiers, places, s'adressent en un premier temps à la communauté italo-américaine aux États-Unis. C'est ainsi, tout d'abord, que les diverses « citations » de ces constructions, vont être empruntées à des styles très divers. Une porte romane, une fenêtre gothique, un arc de cintre baroque, et tout à l'avenant. J'ai bien dit *mosaïque*, *patchwork*. Chaque élément a une spécificité on ne peut plus typée, ce qui ne l'empêche pas de se fondre dans une organicité plus vaste, où il trouve, après ajustement, la place qui lui revient. Retenons bien cette métaphore, l'*harmonie conflictuelle* propre à l'architecture postmoderniste va se retrouver, par après, dans la socialité postmoderne.

Deuxième perspective d'importance, ces « citations » architecturales empruntées à des styles divers, proviennent de différents lieux : Rome, Padoue, Florence, Venise, etc. Il s'agit, par un processus d'anamnèse, de rappeler à la communauté dont il a été question, d'où elle vient, quelles sont ses racines profondes, le terreau culturel dont elle est issue. Non plus le simple détachement historique, mais pourrait-on dire l'attachement destinal. Ce n'est pas simplement le temps qui est vecteur de l'être-ensemble, mais bien l'espace comme ciment de la vie en commun. Ce à partir de quoi il peut y avoir une croissance véritable. Pour jouer sur l'euphonie des termes : le *lieu fait lien*. Cet « enracinement dynamique » se trouve à l'origine de toutes ces manifestations contemporaines célébrant le territoire, les produits du terroir, les festivals folkloriques, les légendes locales et les mises en scène historiques de tel haut fait, de tel personnage important de la région, ville ou canton. Le localisme en son sens fort est bien une composante de la post-modernité.

À côté du postmodernisme architectural préfigurant l'architectonique sociétale de la postmodernité, il est un autre signe avant-coureur qui mérite attention : l'émergence du design. Là encore, issu de l'école du Bauhaus, il se détache vite du simple fonctionnalisme et de l'ennuyeuse utilité pour mettre l'accent sur la fantaisie, la fantasmagorie, où la technique, bien présente, se complète et se complique par l'apport de l'imaginaire. L'idée de base du design est que l'objet, tout en gardant sa fonctionnalité, doit être paré. On l'habille. On l'esthétise. Pour laisse filer la métaphore, il s'agit de *rendre belle la casserole.* Celle-ci, tout en servant à ce à quoi elle est prévue, est située dans un environnement où le plaisir des yeux a sa part. La multiplication des magasins et des magazines de décoration montre bien que c'est l'ensemble des objets de la vie quotidienne qui sont passibles d'un tel traitement et qu'ils servent de décor à ce théâtre du monde où se joue la scène de l'existence sociale.

Une telle esthétisation dans la vie de tous les jours marque une césure importante entre modernité et postmodernité. L'importance qui va être, progressivement, attribuée au corps, au qualitatif de l'existence, au plaisir

d'être, à la forme sous ses diverses modula-
tions, trouve là son origine.

Il est, à cet égard, instructif de voir l'inso-
lente vitalité du luxe en un moment où censément la crise économique prévaut. On
aurait pu croire le luxe réservé à une petite
caste de privilégiés. Au contraire il se diffuse
dans l'ensemble de la société en suivant une
échelle de prix variable. Les ersatz, les copies
plus ou moins légales, la contrefaçon mon-
trent combien, au-delà d'une simple vision
économiciste, on est de plus en plus attentif
« au prix des choses sans prix ».

Georges Bataille en s'inspirant des travaux
ethnologiques, avait montré que la « défense »
somptuaire pouvait avoir une fonction
éthique, c'est-à-dire pouvait servir de *ciment*
(*ethos*) social. La sagesse des nations, comme
en écho, avait déjà rendu attentif au fait que,
souvent, « qui perd gagne ». C'est-à-dire que
l'immatériel, le non-comptable, joue un rôle
non négligeable dans le vivre-ensemble.
Rappelons qu'à côté de la connotation de
luxure, c'est-à-dire donc de surabondance,
généralement mise en avant, existe aussi, en
son étymologie, ce qui est « luxé », la luxa-
tion faisant qu'un membre est inopérant,

non fonctionnel. On peut penser que dans l'inconscient collectif il peut y avoir une forme de raffinement dans ce qui ne sert à rien. On a pu analyser le kitsch comme étant un *art du bonheur*. Il peut être considéré de mauvais goût. En fait, du chromo petit-bourgeois aux nains de jardin en passant par le style *Biedermeier*, l'accent est mis sur le cadre, la *forme formant* l'être-ensemble. Toutes choses faisant ressortir l'importance de l'extérieur, de la peau permettant que tiennent ensemble les divers éléments constitutifs du corps social.

L'*organicité* de l'architecture postmoderniste, ou l'embellissement des objets familiers qu'opère le design rappellent le rapport que l'on avait, dans la prémodernité, avec les objets du quotidien. Vases, meubles, outils, bijoux, armes possédaient, tous, une aura spécifique. Ils participaient à la sacralité du monde. Et, au travers d'eux, la communauté y participait également. Pensons le terme « participation » en son sens fort : magique, mystique. C'est-à-dire ce qui me constitue comme partie prenante du « cosmos », du monde ordonné, d'une nature non pas comme « ob-jet », « jetée là » et donc maîtrisable à loisir, mais comme morceau d'une organicité plus vaste dont tout un chacun fait partie. Une telle « participation » prémoderne va se retrouver dans la postmodernité.

Ce rapport magique aux objets dont on est environné appelle à mettre en doute la *grande marche royale du Progrès,* ayant caractérisé l'acmé de la modernité. Une telle suspicion est, maintenant, admise, tout à la fois chez l'homme sans qualité comme chez ceux qui, avec lucidité, s'accordent à reconnaître que la symphonie héroïque du progrès a fait quelques couacs dont on ne peut plus cacher les désastreuses conséquences. Il est même de bon ton d'intégrer la préoccupation du « développement durable » dans le projet entrepreneurial, dans la gouvernance des diverses institutions ou dans la politique *stricto sensu.*

Même si l'expression « développement durable » est sujette à caution, et ressemble à un pâté aux alouettes (j'y reviendrai), il s'agit là d'un *souci* sociétal dont on ne peut pas faire abstraction. Pour ma part, j'avais esquissé, voilà trois décennies, une critique en règle de ces deux mamelles de l'idéologie *républicaniste* : « Sociogenèse du progrès et du service public[3]. » D'une manière quelque peu prémonitoire, j'y posais les mines de ce qui permettrait, par après, de dynamiter le mythe, strictement occidental, du progrès. En particulier en montrant son fondement sémitique. Or le déclin de celui-là est à mettre en relation avec la saturation de celui-ci.

Puis-je vous donner le secret de la postmodernité ? *Qui potest capire capiat*, que comprenne celui qui peut comprendre : la conception cyclique du monde, fondement du paganisme et que le monothéisme sémitique s'était employé à évacuer, tend à reprendre force et vigueur.

Bien entendu, on ne se réfère pas, explicitement, au désir païen de profiter au mieux, ici et maintenant, des fruits de cette terre. Mais la valorisation de la *proxemy*, l'importance de la vie quotidienne, le culte du corps, le sentiment d'appartenance tribal (communautaire), le retour de l'émotionnel sont comme autant de *marqueurs* du changement de paradigme en cours. Prenons ce terme de *marqueur* en son sens médical, celui de substance présente,

---

[3]. M. Maffesoli, *La Violence totalitaire* (1979), dernière édition in *Après la modernité ?*, CNRS Éditions, 2008, p. 445-537. Ou encore *Apocalypse*, CNRS Éditions, 2009.

à dose variable, dans un corps donné. La dose n'est plus, maintenant, infinitésimale, et le diagnostic n'est plus le fait de marginaux quelque peu excentriques, l'optimisme progressiste a fait son temps. L'inconscient (voire le conscient) collectif tend à revenir à une *progressivité* plus humaine, moins paranoïaque, c'est-à-dire capable d'intégrer les apports de la sédimentation traditionnelle et de l'enracinement naturel dans l'accroissement sociétal.

Oui, un cycle s'achève, forçant à reconnaître que la saturation d'un monde n'est pas la fin du monde. J'ai dit *sédimentation* afin de bien faire comprendre la transformation du *progressisme* (autrefois performant, libérateur, mais devenu brutal et saccageur) en *progressivité* accompagnant plus que maîtrisant ou dominant la nature. C'est quelque chose de cet ordre que propose Heidegger : « Ce qu'il y a de plus ancien parmi les choses anciennes nous suit [...] et pourtant vient à notre rencontre[4]. » Ce « plus ancien » est là présent au cœur de notre humanité. Il est même ce par quoi ce *présent* devient véritable *présence* aux autres et au monde. Il est ce *fonds* n'étant en

---

4. M. HEIDEGGER, *L'expérience de la pensée*, in *Questions III*, Gallimard, 1966.

rien réductible à la raison individuelle, mais qui est un véritable capital s'étant constitué tout au long des siècles. Mémoire sédimentée. Tradition enracinée.

Peut-être est-ce cela que Bergson, tout au long de son œuvre, va traquer sous le nom de « durée », empiétant tout à la fois sur le passé et l'avenir[5]. Il ne s'agit pas du fameux et tératomorphe « développement durable », mais de la durée comme « enveloppement » par le passé : garantie du futur. Un tel *enveloppementalisme* constitue, sinon la clef universelle, du moins une bonne entrée pour comprendre ce qui est en jeu dans de nombreux phénomènes postmodernes. Le postmodernisme architectural en a été l'indice inaugural, la peinture et l'art postmoderne en général en sont des moments d'importance, le design est un bon révélateur. Toutes choses ne considérant plus que l'énergie, individuelle ou collective, doit être mobilisée pour arriver à une *Cité de Dieu* lointaine, ou une société parfaite à venir, mais qu'elle a à se focaliser sur ce qui est donné à voir, ce qui est donné à vivre, dans le sein de la

---

[5]. H. BERGSON, *Matière et Mémoire*, in *Œuvres*, PUF, édition du Centenaire, 1959, p. 280.

communauté, ici et maintenant. Le retour à la matrice en quelque sorte.

À l'image de termes existant dans d'autres langues néoromanes, tel *ingresso*, peut-être pourrait-on parler de *ingrès* pour désigner une vitalité ne se reconnaissant plus dans les utopies ayant ponctué la modernité, utopies de la classe et de la race, utopies ayant abouti aux camps que l'on sait, mais se contentant de ces petites utopies interstitielles, « zones d'autonomie temporaires », où va se nicher l'intensité du présent.

À l'opposé d'un temps homogène et vide, le vécu concret, en tous ses petits rituels quotidiens, se pose comme vecteur de *reliance* tout à la fois aux autres et à l'espace qui est notre matrice commune. Dans ses thèses sur la philosophie de l'histoire, Walter Benjamin évoque le « concret le plus extrême ». Bel oxymore on ne peut plus parlant.

En effet, le mot le concret, provient de *cum crescere,* croître avec. La phénoménologie nous a éclairés sur cet « avec ». On peut décliner à loisir les modalités d'un tel *relationnisme* : être-avec les autres (*mit Sein*), avec le monde (*mit Welt*). Ce qui devrait renvoyer dans les ossuaires des pensées mortes les analyses de ces sociologues de série « B », tout comme les articles journalistiques leur servant la soupe, qui continuent à nous alourdir l'estomac avec leur prétendu « individualisme contemporain ». L'individu « maître de lui comme de l'univers » a été la pierre angulaire de la modernité. La postmodernité (re)construit sur d'autres fondations. En la matière sur un originel communautaire (tribal). Originel fondant l'original d'aujourd'hui. Voilà ce qu'est l'*ingression* dont l'orbe est vaste et les manifestations multiples. Tout un chacun, personne plurielle en sa tribu de choix, va être ce qu'il est à partir des attachements le constituant. Attachements d'affects, d'odeurs, de goûts, de sentiments, de sensations, toutes choses faisant que l'on *croît avec*.

C'est ainsi que l'on voit croître, en effet, les traditions populaires, les modes vestimentaires ethniques, les préjugés séculaires et même, car dans ce retour il y a du meilleur et du pire, les fanatismes religieux et les divers mimétismes hystériques. En bref, je m'en suis expliqué ailleurs, le *Rythme de la vie* (2004) s'écoule à partir d'un point fixe. N'est-ce pas une source qui est à l'origine des cours d'eau ? Le flux vital n'échappe à cette nécessaire loi. Loi que l'on est en train de retrouver. Loi qui va bientôt faire passer les benêts progressistes modernes pour des réactionnaires dangereux. Loi, si je résume la « source » de la postmodernité, rappelant l'importance du complexe, la nécessité des racines, la profondeur de la surface. En somme, l'*enveloppementalisme* utile à toute croissance. Le tégument de la graine, la peau du corps individuel, celle du corps social se rappelant à notre bon souvenir.

Voilà les fondations du paradigme en gestation. Voilà en quoi l'*ingression* n'est point simple *régression*. On avait mémoire de la circularité des sociétés primitives. On était habitué au linéarisme de l'Histoire assurée d'elle-même. Il convient, avec courage et lucidité, de savoir penser la *spirale*.

La hauteur du quotidien

Il n'y a rien d'inculte, de stérile, de mort dans l'univers.

Leibniz, *Théodicée*, p. 69

Même s'il faut forcer le trait, en exagérant les spécificités, il est bon lors des mutations d'envergure, de revenir à ces formes élémentaires ou encore à ce que Durkheim nommait les « caractères essentiels » d'une époque, qui sont bien des empreintes indélébiles.

Aller à l'essentiel, en effet, ne plus être assourdis par le « clapotis des causes secondes » (P. Claudel) qui, trop souvent, ne permet pas d'entendre le bruit de fond du monde. Clapotis dont se satisfont des élites globalement satisfaites d'elles-mêmes. L'essentiel, dans de nombreuses traditions culturelles, est de l'ordre de l'éclair inaugural. Ce peut être le « *satori* » dans le bouddhisme zen, ou ce qui fait que, selon la sagesse des nations, la *première impression est la bonne*. C'est aussi l'intuition que l'on trouve chez les grands philosophes ou scientifiques. Toutes choses renvoyant à la vision pure et simple. À la simplicité de l'originel, celle de la vie courante.

Voilà la source du singulier et symptomatique retour de la vie quotidienne dont la spécificité est l'aspect expérimental. L'expérience, je le rappelle, est avant tout collective. La sédimentation, sur la longue durée, a constitué la culture en son sens le plus simple : les modes de vie, les manières d'être, de penser, de se situer, de se comporter par rapport aux autres et par rapport à la nature. L'expérience est une autre manière de nommer la tradition. Au-delà d'un rationalisme sclérosant, qui fut la marque des temps modernes, l'accent est mis sur la vie, source continuelle des rénovations, du dynamisme existentiel. L'*élan vital* ne se laisse pas « saisir » par le concept, dont nous sommes, il faut bien le dire, tellement friands. Une approche de la vie quotidienne tend à favoriser son déploiement et n'entend pas l'enfermer dans des définitions par trop rigides.

À propos de cette vie quotidienne, peut-être faudrait-il parler de « géosociologie », c'est-à-dire de lien social enraciné ; d'archéo-sociologie : d'une pensée des profondeurs attentive au « ça ». Fondement des structures anthropologiques élaborant et confortant, continuellement, toute vie en société. Le « ça » est constitué par une multiplicité de cheminements souterrains, souvenirs d'enfance à la manière proustienne, sédimentations de la mémoire collective. Petites choses *élémentaires* qui, on l'oublie trop souvent, forment le soubassement de l'histoire, ce que Philippe Ariès nous a opportunément rappelé.

Ce qui vaut pour l'histoire vaut, également, pour l'ensemble de la vie sociale. La réémergence (peut-être faut-il dire la *révolution*?) de la vie quotidienne est certainement la première caractéristique de la postmodernité. *Révolution* qu'il faut comprendre en son sens étymologique (*revolvere*) : retour, rétrocession à ce qui fut à l'origine.

Sans vouloir en faire un historique précis, il faut rappeler que le philosophe Henri Lefebvre avait fait une *Critique de la vie quotidienne* (1947-1962). Mais, comme l'indiquent bien les titres de ses livres, il s'agissait, dans une perspective marxiste, de faire une critique de l'aliénation spécifique de la vie quotidienne dans les sociétés capitalistes. Certes un marxisme ouvert, « humaniste » a-t-on pu dire, qui reposait, tout de même, sur le présupposé d'un

savoir surplombant, que l'intellectuel révolu-
tionnaire, *intellectuel cerveau*, et donc promoteur d'une histoire en marche, devait apporter
à un peuple à la vision courte et engluée dans
l'immédiateté de sa vie de tous les jours.

Pour ma part, c'est en réaction à une telle
prétention que j'ai proposé de parler d'une
Conquête du présent (1979). Certes, il y a de
l'exploitation économique. Certes, il y a de
l'imposition morale, symbolique, idéologique. Oui, l'aliénation, le fait d'être étranger
à soi et au monde, est là, bien réelle, et pourtant « ça » vit. *Eppur si muove!* pourrait-on
dire en paraphrasant Galilée.

Il y a un *vouloir-vivre* têtu. Irrépressible. S'exprimant dans la duplicité, dans la théâtralité
quotidienne, dans le sentiment tragique de
l'existence, dans le fantastique vécu au jour
le jour, en bref dans ce vécu, dans cette
proxémie tout à la fois insignifiante et struc-
turante. Quand rien n'est important, tout a
de l'importance. C'est exactement à la même
époque que le théologien Michel de Certeau
publiait *L'Invention du quotidien*[1]. Là encore

---

[1]. M. Maffesoli, *La Conquête du présent. Pour une sociologie
de la vie quotidienne* (1979), rééd. in *Après la modernité ?*,

et dans une indéniable proximité théorique, cette invention (*in venire*) consistait à faire venir au jour tous ces *arts de faire*, c'est-à-dire ces arts de vivre étant le ciment essentiel de toute vie en société.

Cette pensée affirmative que je proposais : dire oui tout de même à la vie, ou cette *invention* au cœur de la démarche de Certeau, s'accordaient sur le fait qu'il existe une liaison des plus forte entre les plus anciennes traditions et une révolution radicale. C'est-à-dire que, au-delà de la critique propre au concept et à l'hypertrophie du rationalisme moderne, il faut savoir *apprécier*, c'est-à-dire donner son juste prix, à la sagesse des peuples, au sens commun.

Doit-on rappeler que l'expression « sens commun » (la *koiné aisthesis* de la tradition grecque), renvoie bien à tous les sens, et aux sens de tous ? La connaissance intime, intuitive du monde vécu avec d'autres, n'est pas l'apanage de quelques-uns, les clercs, qui en auraient le monopole, mais le fait de tous

CNRS Éditions, 2008, p. 673-915. *Cf*. en particulier : « La socialité postmoderne », p. 679. M. DE CERTEAU, *L'Invention du quotidien*, Seuil, 1979.

les membres de la communauté. Intuition qu'il faudra bien un jour rapprocher du savoir transversal propre à l'Internet post-moderne. Une telle sagesse originelle, s'exprimant dans un art de faire quotidien, dans l'apprentissage réel ou symbolique, dans la créativité vécue au jour le jour, dans une culture enracinée. Elle s'oppose à ce que G. Vico (*La Science nouvelle*) appelait la « barbarie de la réflexion ». Réflexion purement égotiste, individuelle, qui fut, à partir de Descartes (*cogito...*), le pivot de toute la civilisation moderne.

Voilà ce qu'est la *révolution* de la vie quotidienne. Au-delà ou en deçà d'une *civilisation* abstraite, purement conceptuelle, et quelque peu désincarnée, elle nous force à réenvisager une *culture* faite d'éléments simples et servant de ciment à l'être-ensemble, au vivre-ensemble. La relation aux autres du groupe (*Mitsein*) étant tributaire du lieu où l'on vit (*Mitwelt*). Ainsi, *l'espace* de la socialité, celui de la culture concrète s'oppose-t-il au *temps* du social propre à la civilisation rationnelle. L'enracinement spatial lié à l'art de vivre quotidien signifie aussi la saturation du providentialisme : qu'il soit volonté divine (saint Augustin), raison souveraine (Lumières), marche certaine de l'esprit absolu (Hegel), société parfaite (K. Marx), toutes choses culminant dans l'État-providence moderne. Un tel providentialisme est encore à l'œuvre dans les grandes théories sociales régissant, peu ou prou, que l'on veuille ou non le reconnaître, les discours officiels et l'action politique des élites modernes. Indice de leur déphasage par rapport à une réalité qui est, elle, fort éloignée. Symptôme du fossé existant entre la société *officielle*, celle du social, des institutions, et la société *officieuse*, celle de la culture populaire.

La saturation du providentialisme marque une césure dans le changement de paradigme que nous sommes en train de vivre. Le remplacement de la verticalité par l'horizontalité est le dénominateur commun de tous les phénomènes sociétaux contemporains. Le providentialisme, c'est lorsqu'on attend d'une instance surplombante la résolution de nos problèmes, qu'ils soient individuels ou collectifs. C'est cela la verticalité. C'est la *loi du père*. Quelle que soit la figure de ce « père ».

Le fait de mettre l'accent sur le quotidien renvoie à la prise en charge de ces problèmes au sein de la tribu, dans laquelle je me reconnais, ou me complais. Horizontalité de la loi des frères que j'appelle affrèrement. En rappelant, ce que l'on a quelques difficultés à accepter, qu'une telle horizontalité fraternelle trouve l'adjuvant du développement technologique. Les sites communautaires sur Internet en témoignent. *Twitter* illustre un tel changement de topique. Le cœur battant de la quotidienneté est bien la co-appartenance. Je veux dire par là ce qui, dès l'origine, établit l'homme en relation. Ordre symbolique, celui de la *correspondance* dans le groupe, avec la nature, en référence au sacré. Mais la co-appartenance en tant que communication ne se plie pas aux habituelles injonctions de la hiérarchie verticale qui fut progressivement fondée en raison dans le cadre des religions monothéistes.

Ces « injonctions » venues d'en haut sont, de nos jours, remises en question. L'éducation est contestée on ne peut plus. Le pouvoir intellectuel prend l'eau de toute part. Les partis politiques ne font plus recette. Le monopole de la contestation par les syndicats est bousculé par l'émergence de structures spontanées (« comités de coordination » par exemple). Même la prééminence médiatique est très fortement suspectée. Les journalistes, après les politiques et l'élite intellectuelle, sont devenus les dinosaures de la modernité, une espèce en voie de disparition, dont la fin est, quasiment, programmée.

Comment cela se manifeste-t-il? Ainsi que ce fut le cas en d'autres époques de changement, ces espèces condamnées emploient un langage d'elles seules compris. *Langue du palais* qui, comme l'a analysé Machiavel, n'a plus rien à voir avec celle de la *place publique*. Il s'agit là d'un phénomène récurrent. Souvenons-nous de ce que furent les débats byzantins sur le « sexe des anges ». Une cruelle loi du langage faisant que les mots, très souvent, sont les épitaphes de ce qu'ils désignent. Les injonctions verticales des pédagogues modernes: professeurs, journalistes, technocrates, politiques, décideurs de tous poils, ne font que désigner les chausse-trappes, c'est-à-dire les tombes où la vivante et effervescente socialité n'entend pas se laisser piéger.

D'où les tactiques d'évitement de la subversion postmoderne, afin de ne pas *tomber dans les tombes* modernes. Du sociologue V. Pareto théorisant la « circulation des élites » au tableau du préraphaélite E. Burne-Jones représentant la *Roue de la Fortune*, nombreux sont, dans tous les domaines, les exemples qui peignent, chantent, décrivent, théorisent ou poétisent ces « ossuaires des réalités » où viennent s'abîmer les idées mortes. Or, la tombe en appelle à la résurrection. Peu importe la manière dont on comprend cette dernière. Pour ma part, je dirais que la mort du *pouvoir* est toujours l'indice d'une revivis-cence de la *puissance*, c'est-à-dire de la force vitale venue d'en bas. Vitalité irrépressible, parfois désordonnée, à coup sûr dangereuse, mais signe certain de ce que le philosophe Michel Foucault nommait un changement d'*épistèmê*, à savoir les manières de dire et d'organiser son époque.

Quand un *dire* s'achève, l'organisation vacille. La crise en est l'expression.

D'où la nécessité de revenir au fondement et aux fondamentaux. À ce fond (fonds) pré-individuel qu'est la vie quotidienne. Et la multiplicité des termes la désignant : proxé-mie, proche, vie courante, proximité, vécu, expérience... sont comme autant d'indices (index) pointant la nécessité de revenir à la matrice commune. Il s'agit là d'une attitude instinctive, quasiment animale, ne manquant pas de chagriner les élites de tous ordres voyant leur pouvoir même plus contesté, mais, ironiquement, méprisé, moqué, voire superbement ignoré.

Cet inconscient collectif valorisant toutes les caractéristiques du vécu quotidien, avant qu'il soit taxé de *populisme* par la bien-pensance du *correctness*, a été décisivement analysé par des penseurs tels que Martin Heidegger ou Max Weber. Je n'entends pas, dans le cadre de ce petit précis, rappeler leurs apports spécifiques, philosophique ou sociologique, sur ce thème. Mais il y a eu, en chacun d'eux, une vraie révolution, *revolvere* ai-je rappelé, retour à un état originel permettant de comprendre ce qui était émergent. J'ajouterai *instituant*.

Ainsi pour le sociologue il est nécessaire « d'être à la hauteur du quotidien ». Voilà qui est paradoxal : être à la hauteur de ce qui est en bas ! Pour bien comprendre la généalogie de sa pensée, il faut avoir à l'esprit ce qu'il devait tout à la fois à F. Nietzsche et à G. Simmel. Le premier « philosophant au marteau », mettait à bas les dogmes quelque peu vermoulus du rationalisme moderne, en accentuant la volonté de puissance et la vitalité

instinctive propres aux cultures (re)nais-
santes. Le second rendait attentif à toutes ces
frivolités : corps, coquetterie, détails du quotidien, sens et sensible, esthétique vécue,
toutes choses que l'esprit de sérieux des
« chercheurs » moyens s'employait à dénier.
Autrement dit, il s'agit de repérer à côté du
roi officiel (c'est-à-dire la valeur dominante,
le conformisme de l'institué), quel est le « *roi
clandestin* » de l'époque. Celui qui régit, en
réalité, les manières de penser et les modes
de vie.

Pour Max Weber, être à la « hauteur » du
quotidien revient à prendre en compte le
« non-rationnel » qui, rappelons-le, n'est pas,
simplement, irrationnel. Il a sa rationalité et
sa logique propres. Il n'a pas forcément un
sens (finalité) précis, mais a un sens (signification) non moins réel. Ce non-rationnel, le
sociologue le voit à l'œuvre dans les diverses
religions qu'il analyse (protestantisme,
judaïsme, hindouisme...), et dont il montre
les conséquences dans l'organisation économique, politique, idéologique qu'elles engen-
drent. Mais on peut extrapoler son propos, et
montrer en quoi ce *non-rationnel* est toujours
à l'œuvre dans les multiples manifestations
de la religiosité postmoderne.

Le développement des syncrétismes philosophiques ou religieux en témoigne. Le retour
des diverses formes de mysticisme également. Les techniques du *New Age* contemporain sont là pour le prouver. Le paganisme de
la *deep ecology,* le succès du *candomblé* brésilien, les cultes de possession de divers ordres,
l'importance de la voyance ou de l'astrologie
sont des phénomènes dont on ne peut plus
nier l'importance. Et, pour ces derniers phénomènes en particulier, il est amusant de voir
que ce sont des sociologues s'affichant chrétiens qui, montant au créneau, s'emploient à
les critiquer. Est-ce par crainte d'une concur-
rence déloyale?

Quoi qu'il en soit, et comme toujours pour
le meilleur et pour le pire, ce « non-rationnel » est là. Il parcourt, tel un fil rouge, l'ensemble de la texture sociale. Et il faudrait
voir en quoi il est à l'œuvre dans de nombreux domaines. Celui du sport, des *afoulements* musicaux, des faits-divers, des
scandales financiers ou politiques. En bref,
il contamine l'ensemble du corps social.
Manifestations syndicales, meetings politiques, élections, voire nominations dans les
diverses institutions, sont traversés, à des
degrés divers, par des facteurs non rationnels.

Et ceux qui crient au scandale dans un cas précis qui les lèse, ne manquent pas de profiter de ce « non-rationnel » lorsque cela les avantage. D'un mot, et voilà quelle en est la conséquence logique, ce n'est plus le *contrat* rationnel qui est au fondement du vivre-ensemble, mais bien le *pacte* émotionnel qui a bien ses raisons, mais raisons que la raison ne connaît pas !

C'est, d'ailleurs, parce que ce *non-rationnel* est à l'ordre du jour qu'il est important, autre proposition théorique de M. Weber, de mettre en place une sociologie *compréhensive*. *Compréhensif* non pas dans le sens moral que l'on accorde, en général, à ce terme, mais au plus proche de son étymologie, en ce qu'il prend en compte *tous* les éléments de l'existence. *Cum prehendere* : prendre ensemble, « prendre avec » ce que sont les spécificités du « vivre-avec », du « vivre-ensemble ».

« Tout est bon chez elle, il n'y a rien à jeter. » Voilà bien la rengaine que l'on peut chanter à propos de la vie quotidienne. Dès le moment où le *sens* n'est plus réduit à une finalité lointaine, mais où le *sens* (signification) peut se vivre ici et maintenant, tout fait *sens*. Tout a une signification, fait signe, en bref, tout est symbole. C'est-à-dire que tous les actes, les pensées, les phénomènes de la vie quotidienne, aussi anodins soient-ils, s'inscrivent dans une correspondance holistique.

Cette correspondance ne se repère pas seulement dans le grand « temple » de la nature, comme l'indique Baudelaire (« les sons, les odeurs, les couleurs se répondent »), mais se perçoit dans tous les domaines de la vie sociale. La « viralité » induite par les moyens de communication interactive en témoigne. Sous une forme plus générale, la diffusion des maladies contagieuses est une bonne métaphore de ce processus de *contamination* spécifique à la postmodernité. Ce qui ne manque pas d'être distrayant quand on sait que l'asepsie de la vie sociale, la « pasteurisation » du monde avaient été le grand idéal de la modernité.

Il faut revenir à une *solidarité organique*. Celle où les divers éléments de la communauté, en son site social et en son site naturel, s'articulent étroitement les uns aux autres. Pour bien comprendre ce qui est en jeu dans la socialité postmoderne, il est important de saisir l'étroite liaison existant entre le fait d'être, avec d'autres, en un site donné, et la temporalité caractérisant ce partage : le présent. C'est, en effet, à partir d'un tel *présentéisme* que le « lieu fait lien ».

Afin de bien illustrer une telle idée, je rappelle le concept proposé par saint Thomas d'Aquin, dans la *Somme théologique* : *habitus*. D'une manière à la fois simple et éclairante, comme toute vraie découverte, il rappelle que l'*habitus* (traduisant ce qu'Aristote nommait *hexis*), est une accoutumance à un lieu et à des modes de vie. Ainsi, le clerc du Quartier latin a un *habit* et des *habitudes* spécifiques par rapport à l'*habitacle* qui est le sien. Il en sera de même pour le juriste de l'île de la Cité qui aura habit et habitude bien à lui en fonction de l'habitacle qui lui est propre (*cf.* saint Thomas d'Aquin, *Somme théologique*, question 49, « La nature de l'*habitus* »).

Reprenant cette notation aristotélo-thomiste, Oswald Spengler, dans *Le Déclin de l'Occident*, applique cette notion au biotope en montrant comment une plante ne peut croître qu'en fonction des conditions propres à une aire géographique donnée. Il n'y a de biocénose (vie en commun des animaux et végétaux) que parce qu'il y a biotope. Par après, certains

sociologues tel Pierre Bourdieu, oubliant déli-
bérément de telles références, de peur peut-
être de se faire taxer de scolastiques, ont, à
l'esbroufe, repris ce concept pour désigner ce
que sont les comportements acquis caractéristiques d'un groupe social spécifique.

Ce qu'il faut retenir de l'*habitus* de saint Thomas, c'est que le ciment social, l'éthique
(*ethos*) se confectionne à partir de ces rituels
anodins, ceux de la vie de tous les jours,
rituels constituants de bout en bout, la *liturgie* sociale. Faut-il rappeler que, en son sens
étymologique, *leitourgia* est l'œuvre publique :
un « service public », des spectacles aux
dépenses militaires, grâce auquel une cité se
constitue en tant que telle. Ainsi, la *reliance*
communautaire, le fait d'être « relié » et
d'avoir confiance, se fonde sur la sédimentation de toutes ces petites choses. Sédimentation faisant, en son sens strict, culture.

Voilà en quoi le présent et le « site » où ce
présent s'enracine, constituent le *divin social*.
C'est ainsi, pour ma part, que j'interpréte-
rais ce qui fut une idée obsédante chez Heidegger : *Dasein*, être-là, être le là. Je le fais,
dois-je le préciser, en amateur, mais il me
semble qu'une telle notion peut, parfaitement,

illustrer l'importance du quotidien, de l'espace et du temps que l'on partage en commun. Être-là, être le là (*Dasein*), c'est du temps se cristallisant en espace. Le *présent* comme *présence* à l'autre. L'autre de la nature, l'autre du groupe.

Le quotidien postmoderne se caractérise par une forme de retour au paganisme ; au *paganus*, paysan lié à cette terre-ci, qui profite, tant bien que mal, des fruits de ce monde, qui rapatrie la jouissance dans l'ici et maintenant. Il est aisé de voir combien nombreuses sont les pratiques quotidiennes, en particulier chez les jeunes générations, à fortes connotations païennes. Un tel paganisme peut s'observer, d'une manière paroxystique, dans les groupes musicaux, les affinités sexuelles, les exacerbations tribales (tatouages, piercing), mais il est non moins présent, d'une manière on ne peut plus anodine, dans le simple et néanmoins puissant hédonisme quotidien.

J'ai dit *reliance* ! D'une manière plus classique, on peut parler de religiosité *présentéiste* comme étant la spécificité de l'esprit du temps. Si une telle hypothèse n'est pas totalement infondée, si on accorde créance à ce qui, empiriquement, « crève les yeux », alors il est nécessaire d'opérer une véritable conversion du regard. En effet, durant l'hégémonie sémitique (judaïsme, christianisme, islam) ou, ce qui revient au même, occidentale, le divin était « verticalisé », projeté en un lieu lointain et inaccessible. À sa manière, tout à la fois lucide et provocatrice, Lautréamont nomme Dieu « le Grand Objet Extérieur ». Bien vu, monsieur le comte ! Afin de vaincre l'idolâtrie, cette tradition cultuelle et culturelle a projeté dans un empyrée vertigineux le sacré qui est une composante essentielle de l'humaine nature.

Plus tard, ce sacré a été projeté dans le politique, l'État, les institutions. Mais les religions séculières du siècle XIX (marxismes ou socialismes) ont gardé une structure identique : c'est demain que l'on pourra jouir de la vie sans être aliéné par les impositions économico-politiques. La focalisation sur le vécu quotidien témoigne, dans l'inconscient collectif, d'une véritable inversion de polarité. Il ne s'agit plus, dans le cadre d'une économie du salut, d'atteindre un salut individuel (ce qui est, je le rappelle, l'essence des religions sémites : la *sotériologie*, le salut à venir) mais, au contraire de partager, avec d'autres, les biens de cette terre.

Je propose, ici, une hypothèse. La crise économique (financière) dont on nous rebat les oreilles n'est que la forme ultime de la saturation de l'idée de salut individuel (de l'économie du salut). Et par là même cette « crise » pointe le retour de *l'idéal communautaire* qui, de manière violente (les révoltes en témoignent) ou sous forme beaucoup plus altruiste (le bénévolat, les associations, les modes de vie alternatifs, le commerce équitable, etc.), cherche de nouvelles manières d'exprimer la générosité et la solidarité propres à l'être-ensemble.

Fin d'un cycle en effet où la *solidarité mécanique*, quelque peu rationnelle et abstraite (solidarité du contrat social et de l'État-providence) laisse la place à une *solidarité organique*, venue du bas et réinvestissant des formes « archaïques » (premières, fondamentales), tribales, et reposant sur le sentiment d'appartenance et les émotions vécues en commun.

Dans cette inversion sur le quotidien communautaire, le Dieu (ou l'État, ou la Technostructure, ou l'Institution) n'est plus surplombant, il devient divin diffus. Parlons donc d'une *transcendance immanente*. C'est-à-dire d'un esprit du temps dépassant l'individu (donc quelque chose de transcendant), mais retombant sur le groupe, constituant le ciment du groupe (ce qui est immanent). Peut-être est-ce ainsi que l'on peut comprendre, dans le cadre de la religion de l'humanité, ce qu'Auguste Comte appelait le « Grand Être ». Non pas une entité abstraite, définie, conceptualisée et située en un lieu extérieur et surplombant. Mais, au contraire, une ambiance diffuse, dans laquelle baigne la communauté.

Ambiance issue d'un processus de *reliance* où faune, flore, vivant sous toutes leurs formes s'harmonisent, tant bien que mal, pour constituer un être collectif, dont le partage au quotidien est l'élément central. Une telle ambiance mérite d'être analysée.

Climatologie

> *Atmosphère, atmosphère! Est-ce que j'ai une*
> *gueule d'atmosphère?*

Arletty, *Hôtel du Nord*

La repartie de l'actrice populaire Arletty, dans le film *Hôtel du Nord* (1938), sur sa « gueule d'atmosphère » n'est pas chose ancienne. Elle exprime la congénitale méfiance moderne à l'égard de ce qui n'est pas sous la domination de la raison souveraine. L'éducation était passée par là qui avait appris à maîtriser les instincts et les humeurs. L'étymologie d'atmosphère nous renseigne : *atmos* désigne la vapeur pouvant submerger, qu'il est impossible de dominer et dont il est bien délicat de s'abstraire. Le climat *stricto sensu* est un élément non négligeable du caractère des nations. On peut, également, penser que le climat spirituel n'est pas sans conséquences sur les modes de vie. Il *informe* les manières d'être.

Ainsi à côté d'une *géosociologie*, soulignant l'importance de l'enracinement, c'est à une climatologie qu'il faut s'atteler, élucider cet *esprit du temps* dont on est, à notre corps défendant, de plus en plus tributaire.

Voilà qui est bien difficile à admettre car notre tradition culturelle a, largement, été dominée par une véritable *égolatrie*. Celle-ci est cause et effet d'une conscience représentative : l'homme maître de la représentation du monde, sujet unique de la science. On peut définir au travers de termes plus ou moins savants un tel processus : égoïté, ipséité, subjectivisme. L'individu enfermé dans la forteresse de son esprit s'emploie à affronter le monde et à le dominer.

Tout et n'importe quoi est passible de cette *logique de la domination*. Pour rester dans la métaphore que j'ai proposée, même le climat est, potentiellement, maîtrisable. Et l'on peut s'interroger, contemporainement, sur la réussite d'une telle ambition ! Tsunamis, réchauffement climatique, canicules, fonte des glaciers, tremblements de terre, éruptions volcaniques, « pot au noir » si redouté des pilotes d'avion et autres fabulettes de la même eau sont là pour nous rabattre le caquet. Et nous rappeler que, à l'opposé de la paranoïa dominatrice s'étant développée tout au long de la modernité, et qui a culminé dans la technicisation planétaire, l'homme est un être *mondain* et ne saurait s'abstraire, sans risques, d'une telle *mondanité*.

Voilà ce qui est en jeu quand il est question d'atmosphère ou d'ambiance : reconnaître la dimension intramondaine de l'animal humain. Toutefois, il ne faudrait pas réduire l'homme à l'individu. La *climatologie* nous rappelle qu'il y a du « plus qu'un » dans l'air, plus que l'individu. Celui-ci s'inscrit dans un *inter-être*. Il est déterminé par un code *inter-relationnel*.

Dans le *Banquet*, Platon souligne l'importance du « démonique » ramenant au manque ou à la faiblesse présente dans tout désir. Je rapprocherai ce démonique de l'atmosphère : être en état de dépendance, se situer, s'ajuster par rapport à l'altérité ; qu'elle soit celle de la nature ou celle du groupe. L'environnement social tributaire de l'environnement naturel. L'homme n'étant plus un simple animal prédateur, mais n'existant qu'en se perdant dans un ensemble plus vaste.

Il peut paraître quelque peu niais de mettre l'accent sur le climat spirituel d'une époque quand les problèmes économiques, sociaux, politiques, géopolitiques semblent prévaloir. Quand ils constituent la priorité de ceux qui, institutionnellement, ont le pouvoir de dire et celui de faire ; priorité de ceux que l'on peut appeler la *société officielle*, instituée.

Mais, pour notre gouverne, souvenons-nous de l'analyse de Max Weber faisant dépendre le développement de la société capitaliste des débats théologiques liés à la Réforme protestante. Pour lui, le *réel* économique était tributaire de l'*irréel* théologique. Étant entendu que ce sont les vaporeux débats propres à la grâce, à la prédestination, à la réussite ici-bas comme signe de l'élection future qui suscitèrent la valorisation du travail, la non-stigmatisation de l'argent, toutes choses fondant le développement des sociétés modernes.

Paradoxe éclairant que ce rapport entre le *réel* et l'*irréel* ! Peut-être est-ce cela que Charles Péguy a à l'esprit lorsqu'il rappelle que tout commence par la mystique et s'achève en politique. Certes. Mais pourquoi, quand un cycle se termine, ne pas reconnaître qu'un tel processus est réversible ? Et que la dimension économico-politique tout à son apogée n'en est pas moins menacée de saturation ? Je précise que c'est ainsi que les esprits les plus lucides interprètent ce qu'il est convenu d'appeler la *crise* qui est rien moins qu'économique, mais essentiellement sociétale dans le sens que je viens d'indiquer.

Curieux de partir de l'atmosphère et d'arriver à la mystique ? Et pourtant c'est bien cela qui est en jeu. Une tendance de fond qui, au-delà d'un individu, maître de ses humeurs, appelé à s'économiser et à économiser le monde, voit ressurgir une solidarité mystique des esprits et du monde dans lequel ceux-ci se situent, ont leur *site*. En un moment où l'*orientalisation* du monde ne laisse plus indifférent et où les syncrétismes religieux venus de l'Extrême-Orient contaminent, peu ou prou, les esprits, il n'est pas inutile de noter qu'une telle solidarité est comme un écho de la doctrine de l'universelle bonté propre au bouddhisme. C'est un indice à ne pas négliger, et à ne pas écarter d'un simple haussement d'épaule.

Il en est de même de la doctrine catholique de la « communion des saints » dans laquelle chacun n'existe qu'en liaison étroite, on pourrait dire structurelle, avec ceux qui partagent sa foi, ici et maintenant, mais également avec ceux qui sont passés et, bien sûr, les figures exemplaires que l'on célèbre tout au long de l'année liturgique. Pourquoi, également, ne pas rapprocher cela de ce que dans des sociétés philosophiques telle la franc-maçonnerie on nomme l'*égrégore*? À savoir cet esprit collectif, quelque peu vaporeux, nébuleux, mais non moins présent dans les moments de grande intensité. Esprit commun assurant, au-delà des particularismes individuels, la *tenue* de l'ensemble des membres de la communauté.

On pourrait trouver d'autres exemples en ce sens. Mais voilà bien ce qui est en jeu dans l'*atmosphère* du moment : la prégnance des « vapeurs » collectives s'exprimant dans le retour d'un sentiment diffus du sacré. Régis Debray emploie même l'expression de *sacral*[1]. Désinence fréquente dans la pensée philosophique allemande (existential, objectal, historial) pour désigner l'aspect transversal, omniprésent, structurel d'un phénomène. Dans l'atmosphère du moment, dans cet *esprit du temps* qui nous occupe au premier chef, l'aspect diffus du sacré, de la « transcendance immanente » dont il a été question

---

[1]. R. Debray, *Le Moment fraternité*, Gallimard, 2009.

joue un rôle matriciel. Il est si englobant qu'il est, quasiment, impossible de s'en abstraire. Et toutes les études sur les diverses foules contemporaines, que celles-ci soient musicales, sportives, religieuses, consommatoires, contestataires, soulignent, quand elles n'ont pas peur des mots, l'atmosphère *sacrale* qui est la leur.

Une telle *hystérisation* de la société peut chagriner ou inquiéter. Mais, après tout, le *ventre*, symbole du sensible, est un élément important de l'humaine nature. Et dans les diverses *hystéries*, dont il a été question, il se rappelle à notre bon souvenir, et nous incite à plus d'humilité. Après tout *ce qui est est*. Et comme le rappelait Wittgenstein en ouverture de son *Tractatus logico-philosophicus* : « Le monde est tout ce qui arrive. » Il y a, en effet, dans notre *condition postmoderne* avènement d'un nouvel esprit du temps dont il importe de mesurer les effets. En repérer l'unicité inaperçue, la concaténation souterraine qui, tout d'un coup, deviennent d'une évidence aveuglante. Ce qui étonne c'est l'étonnement suscité par les coups de tonnerre, ponctuellement, dans la vie sociale. La « climatologie », dont j'essaie de dresser les contours, nous apprend que la vérité des choses, en la matière le changement climatique, est la résultante de tous ces battements d'ailes de papillons, pour l'essentiel inaudibles mais dont les conséquences sont loin d'être négligeables.

Il est difficile de les mesurer si l'on reste obnubilé par le linéarisme d'une histoire assurée d'elle-même, ou par le mythe du progrès. En fait, il y a des histoires, ponctuées par de grands cycles (les *corsi e ricorsi* de G. Vico); les moments de crise n'étant que les symptômes des passages d'un paradigme à l'autre. Dès lors, rétrocéder du dérivé à l'essentiel permet, au-delà de la simple chronologie, de saisir ce qui s'exprime d'une manière cachée. Ce qui se vit dans le secret des tribus postmodernes. Nouvel esprit du temps? Peut-être serait-il plus opportun de parler d'une véritable révolution des esprits, qui voit le retour des humeurs, passions, émotions que la civilisation des mœurs modernes avait quelque peu domestiquées, marginalisées, voire s'était employée à éradiquer.

Révolution redynamisant un ordre des désirs, ordre complexe ne se réduisant pas à la simple logique du besoin. Comment pourrait-on réduire l'existence humaine à la

possession d'un « plan d'épargne logement »
ou autre idéal économique de la même eau ?
La prégnance de « l'ambiance » dans la postmodernité, en son aspect vaporeux, est l'indice le plus sûr de cette *primauté du spirituel,*
ou de cet *humanisme intégral* que le rationalisme moderne avait passablement négligés.
Faut-il le rappeler, l'intégralité de l'humanisme ne réduit pas l'humain à la simple indi-
vidualisation, et à l'individualisme lui servant
de justification théorique. On reviendra plus
tard sur ce point. Mais l'intégralité souligne,
également, que l'*humus* fait partie intégrante
de l'humanité, tout comme les humeurs.

Il s'agit d'une révolution copernicienne, aux
soubresauts multiples et étonnants. Elle
renoue avec des intuitions prémodernes[2],
c'est-à-dire avec une conception holistique
où la « correspondance » a sa part, et qui a
délogé l'homme du centre de l'univers. Elle
le montre soumis à une sorte de dépendance
réciproque : celle du monde vivant et du
milieu terrestre et cosmique. Il est lié au tout

---

[2]. *Cf.* l'œuvre romanesque de J.-P. LUMINET, *Les Bâtis-
seurs du ciel*, t. 1 : Copernic ; t. 2 : Kepler ; t. 3 : Galilée,
J.-C. Lattès, 2006, 2008, 2009. *Cf.* également la « part »
ésotérique d'Isaac Newton : Loup VERLET, *La Malle de
Newton*, Gallimard, 1993.

naturel et au tout tribal. C'est le « *mit-Welt* » (avec le monde) de la phénoménologie allemande, c'est la « co-présence » que A. Giddens a analysée. Échange, *reliance* qui, en deçà ou au-delà de l'individualisme, met l'accent sur un originel primaire de relation.

En opposition aux automatismes de pensée et divers conformismes propres à la bien-pensance *critique*, cette révolution copernicienne nous incite à une approche autrement plus *radicale* : la recherche des racines, qu'on peut appeler, en empruntant ce terme à la psychanalyse, le « ça » de tous les sens. Les humeurs, les vapeurs en étant l'expression privilégiée. Les vapeurs du ciel des idées, le retour de la croyance, celui des diverses formes de fidéisme ou de fanatisme en témoignent. En son temps, contre le positivisme des *événements* politiques ou économiques, c'est ce sur quoi avait insisté l'histoire des mentalités. Elle avait montré l'importance des *avènements* émergeant des fantasmes, fantaisies, fantasmagories propres aux multiples imaginaires humains. Pas facile d'évacuer mythologies, idolâtries et autres formes d'iconologies !

Or les vapeurs montent également de la terre : des terroirs, des territoires, qu'ils soient « réels » (les divers localismes, quartiers, cités, *hauts lieux*) ou qu'ils soient « irréels » (lieux symboliques, sites sur Internet). Les « vapeurs » vont s'exprimer en fonction d'un goût. L'ambiance est cause et effet du tribalisme. En fait, il vaudrait mieux parler d'ambiances au pluriel en ce qu'elles sont déterminées, délimitées par les multiples goûts spécifiques aux tribus sexuelles, religieuses, musicales, culturelles, sportives, politiques et tout à l'avenant.

Les anciens de telle université, de telle grande école, de tel club de chefs d'entreprise, de telle association caritative, de tel cercle syndical ou *think tank* étant, eux aussi, conditionnés par un sentiment d'appartenance à l'orbe indéfini. Certes, il est fréquent d'entendre dire que tel ou tel choix se fait « à compétence égale ». Mais c'est au-delà de cette compétence que le choix a toute sa saveur, et va dépendre de l'humeur. En effet, à « compétence égale » c'est parce que l'on a *l'odeur de la meute* que cette compétence peut prendre, comme par hasard, toute sa valeur.

Gardons cette métaphore à l'esprit. Les atmosphères, les vapeurs venues du ciel, des croyances et de la terre partagée par la tribu, c'est cela même qui, au-delà du *contrat* rationnel, va privilégier le *pacte* émotionnel. N'est-ce point amusant de voir revenir le fameux « nez de Cléopâtre », grâce auquel Pascal montrait en quoi la géopolitique d'Antoine était tributaire du goût qu'il avait pour l'appendice nasal de la reine !

Il faut avoir la lucidité de reconnaître, pour reprendre un titre de Goethe, que les « affinités électives » reprennent force et vigueur dans la socialité postmoderne. D'une manière incantatoire, il est fréquent de se réclamer d'un « État de droit », mais il s'agit là d'une clause de style formelle, masquant difficilement la prévalence des humeurs. Je n'entends pas, ici, porter un jugement de valeur. Contentons-nous d'un jugement de fait. Afin de rester prudent en émettant ce dernier, reconnaissons que les intrigues de cour renaissent dans de nombreux domaines, à l'instar de ce qui a prévalu sous l'Ancien Régime. Elles dépendaient du bon vouloir du prince. Confusion entre l'État de droit et « l'État c'est moi » !

Mais que l'on ne s'y méprenne point, cette « humeur » princière ne peut se réduire à tel responsable politique ou administratif. On la retrouve dans les salles de rédaction, au sein des entreprises, sans oublier les commissions universitaires et multiples comités d'évaluation ou de sélection. En chacun de ces cas, l'argument rationnel, les critères objectifs ne sont que des faux nez parant le goût, l'humeur... qui eux restent primordiaux. Car c'est bien à partir de l'ambiance que l'on partage, du *goût* servant de lien que vont se faire les choix et, corrélativement, les rejets. Délations, dénonciations, conspirations du silence, jugements *a priori* et sans fondement, voilà bien, au-delà des rationalisations et des légitimations des différentes formes du *correctness*, les fondements du *vivre-ensemble* contemporain. Pour le dire au travers de deux termes que l'on emploie, à tort, l'un pour l'autre, la *morale* laisse la place aux *éthiques*.

En effet, la morale telle qu'elle s'est élaborée au siècle XVIII, celle des « Droits de l'homme », est générale, censément applicable en tous lieux et en tous temps. Elle est le corrélat logique du politique. À l'opposé, l'éthique (*ethos*) est particulière, déterminée par un lieu donné, tributaire d'un goût spécifique. C'est cela même qui peut faire parler d'*éthiques de l'esthétique*. C'est à partir de passions et d'émotions spécifiques que se constitue le ciment propre à l'être-ensemble. Saturation de la morale-politique et reviviscence de l'éthique-esthétique. La *reviviscence*, en biologie, est la capacité pour certains animaux de retrouver vie après une période d'engourdissement. Il en est de même pour des végétaux reprenant vigueur après un moment de dessiccation. N'est-ce point cela qui arrive, ainsi que je l'ai indiqué, à la mystique sociétale? Mystique étant, souvenons-nous-en, non pas une caractéristique individuelle, mais bien la capacité de vibrer avec d'autres, de partager des mythes en commun et, pour entrer dans la proximité sémantique, être *muets* vis-à-vis des pouvoirs surplombants.

Qu'on l'appelle ainsi ou non, que l'on en ait peur ou non, il y a bien retour d'un tel mysticisme. C'est lui qui délimite l'ambiance postmoderne. Selon une gradation bien connue dans les histoires humaines, ce qui était *secret* au siècle XIX, par exemple le fantastique du romantisme, est devenu, par après, *discret* dans l'entre-deux-guerres, ainsi le surréalisme, pour s'afficher de plus en plus à partir des années 1950 du siècle XX. *Secret, discret, affiché*.

Les *Illuminations* de Rimbaud, la puissance souterraine du lyrisme de William Blake, la cosmogonie fabuleuse de Malcolm de Chazal, voilà au milieu d'une myriade d'autres, les signes avant-coureurs d'une ambiance quelque peu marginale, mais tendant, on ne peut plus, à occuper le haut du pavé. C'est cela même que l'on va retrouver dans le démonique du *Black Metal*, dans le naturalisme de la *deep ecology* ou encore dans le syncrétisme du *cosmic consciousness*. Il n'est jusqu'au *terreiro* du candomblé des cultes afro-brésiliens qui ne repose sur une correspondance symbolique entre les éléments primordiaux de la terre et la communauté des initiés qu'ils servent à façonner et à conforter.

À côté des phénomènes du même acabit influençant les techniques du *New Age*, même le mystère de la Kabbale[3], renouant avec ce qui fut un moment fort de ses origines, n'est plus cantonné dans l'*establishment* religieux. L'initiation kabbalistique se diffuse dans de nombreux livres de vulgarisation, et devient un phénomène à la mode chez les chanteurs, acteurs et autres *people* du show-business.

---

[3]. *Cf.* l'ouvrage classique de G. SCHOLEM, *La Kabbale et sa symbolique*, Payot, 1966, p. 24 sq.

Dans tous ces exemples, que l'on pourrait multiplier à loisir, c'est la magie symboliste qui tend à prévaloir. Et ce dans un sens précis, ajuster ensemble (*sum-bolé*), en signe de reconnaissance, toutes les parties, éparses, de la totalité naturelle et sociale. Un tel ordre symbolique trouve dans l'émotionnel son vecteur le plus efficace.

Émotionnel. Voilà bien un terme revenant, d'une manière lancinante, dans les conversations, discussions et débats multiples. Mais employé, très souvent, d'une manière erronée. En effet, il s'agit, la plupart du temps, de souligner l'aspect émotif d'un individu, ou l'émotivité comme capacité qu'a cet individu de ressentir des émotions. En fait, et comme il est fréquent, dans l'individualisme épistémologique propre aux élites de la modernité finissante, on ramène toute chose à l'enclosure égotiste, sésame universel des divers observateurs sociaux.

On en oublie que ces émotions sont essentiellement collectives. Elles s'expriment comme expression de ces instincts animaux qui, constamment, continuent de tarauder le corps social. Les référer à l'animalité n'est nullement péjoratif. Il suffit de se souvenir de l'adage pascalien : « Le cœur a ses raisons que la raison [...]. » Après tout, il peut y avoir de la noblesse dans les émotions collectives. Ceux qui sauront les analyser avec pertinence seront en congruence avec l'esprit du temps.

Revenons à quelques classiques. Pour Max Weber, l'émotionnel est l'ambiance spécifique caractérisant l'ensemble de la communauté. L'esprit commun propre à la *commune* (*Gemeinde*). Et cette *commune* est la résultante de mystérieux, subtils, ténus fils qui, par les multiples entrecroisements, vont constituer, *in fine*, le tissu social. On retrouve ce climat dans lequel on baigne et qui trempe le caractère commun. Cette empreinte invisible, mais non moins profonde, déterminant les postures corporelles, les mimiques gestuelles, les habitudes langagières, les intonations linguistiques ; tous ces sillons inconscients, ces plis que l'on emprunte collectivement et qui font la spécificité de telle ou telle nation, de telle contrée auxquelles on reconnaît, sans coup férir, l'appartenance.

Je l'ai dit, c'est ce que notre saint scholastique, Thomas d'Aquin, professeur en Sorbonne, théorisait sous le terme d'*habitus*.

Le contrat social moderne se fondait sur l'enfermement de l'individu dans la forteresse de son esprit. Or il convient d'être attentif à l'épidémie émotionnelle. Les réseaux d'Internet en témoignent. Que ce soit dans les sites communautaires, dans les listes de diffusion, dans les « blogs » de discussion et autres *Twitter*, on peut dire que ça « gazouille » une langue des oiseaux où la raison n'est pas absente, certes, mais où l'émotion joue un rôle primordial. Et l'on peut *chatter* à l'infini aux travers de messages dont la brièveté condense l'essentiel : le partage des émotions communes. Car ce sont celles-ci qui sont capables d'émouvoir, et donc de mouvoir, en sa totalité, l'action de l'homme. Voilà ce qu'est la principielle leçon que donne l'ambiance (atmosphère, climat) : on est pris, tout d'une pièce, dans une constellation ambiantale faisant de tout un chacun ce qu'il est, et dont il est bien difficile de se dépêtrer.

J'ai fait référence au romantisme car, en un temps où ce n'était pas de mise, il soulignait l'entièreté de l'être et le *relationnisme* le constituant. Relation à la pluralité de sa propre personne, mais relation, également, à la communauté où l'on était inséré et, bien entendu, à la nature aimée dans laquelle il s'agissait de s'immerger, voire de se perdre.

Ce qui était *poétisé*, d'une manière prophétique, par le romantisme au siècle XIX, tend à se capillariser, de nos jours, dans l'ensemble de nos sociétés. On constate un refus de la séparation entre le sensible et l'intelligible. J'ai rendu attentif à cet oxymore qu'est la *Raison sensible* (1996). Non plus une raison coupée des sens, celle du rationalisme dominant dans les temps modernes, mais bien une raison enrichie par l'apport des affects, des sentiments, des émotions et des passions vécues en commun. L'entièreté de l'homme romantique devient, d'une manière plus ou moins affichée, une réalité de la vie de tous les jours. Ainsi lorsque M. Weber montre que le non-rationnel est rien moins qu'irrationnel, mais a sa rationalité propre. Dans le même ordre d'idées, l'économiste Vilfredo Pareto soulignait que le non-logique n'était en rien illogique, mais avait une logique spécifique. Voilà qui ne manque pas d'être éclairant pour comprendre de multiples phénomènes économiques, politiques, sociaux qui, d'une manière explosive, ou parfaitement anodine, traduisent l'intime liaison de l'émotionnel et du non-rationnel.

L'ambiance, ainsi définie, traduit une caractéristique essentielle de la vie postmoderne.
La notion de *séparation* qui avait été l'instru-
ment primordial du paradigme moderne :
séparation du corps et de l'esprit, de la
nature et de la culture, du matérialisme et du
spirituel, de la politique et de la mystique.
C'est sur une telle séparation que s'était élaborée la notion de contrat social dont la raison souveraine est le vecteur essentiel. Cette
séparation est en train de laisser la place à
une conception beaucoup plus organique,
biologique du monde, où les divers éléments
s'entre-pénètrent de façon étroite et féconde.
La notion de *pacte* en serait l'expression.

Mais il est intéressant de noter comment, en
ce qui concerne le vêtement, le langage, la
musique, les livres, les modes de vie en
général, il y a de la contamination dans l'air.
On n'existe que par et sous le regard de l'autre. Curieuses *Lois de l'imitation* dont Gabriel
Tarde nous a, judicieusement, parlé, et qui
traduisent bien cette curieuse manie, ins-
tinctuelle, animale, de faire comme l'autre.
Faut-il rappeler que la « *manie* » en latin est
une manière de dire la folie ? Folie du mimé-
tisme en effet dont il est bien difficile de
s'abstenir jusques et y compris dans la sphère

intellectuelle : idées, littérature, opinions, convictions, croyances... où l'autre, qu'il soit gourou, maître à penser, chef politique, écrivain à succès, sert de parangon. Aune à laquelle on mesure tous et toutes choses. On marche au pas cadencé sur une mélodie élaborée par l'autre.

C'est ce qu'Alfred Schütz appelait la *syntonie,* dans son article « Making Music together ». Mais l'on peut extrapoler le propos. *Faire* de la musique ensemble devient, métaphoriquement, une réalité de la plus grande banalité. Tourisme, sport, festivals de tous ordres, soldes commerciales, meetings politiques, manifestations syndicales, sans oublier toutes les fêtes ponctuant la vie sociale, tout est bon pour vibrer ensemble. Et même les affinités électives, et ce dans tous les domaines, vont se faire en fonction du *feeling.* L'avoir ou pas, voilà qui est dirimant !

Les vibrations sont bien dans l'air du temps. Je l'ai dit, nous vivons un vrai changement climatique et, décidément, nous avons bien une *gueule d'atmosphère* !

Le dessaisissement tribal

> *Le phénomène est au milieu de nous, et nous ne le remarquons pas.*
>
> Chateaubriand, *La vie de Rancé*

À l'image de ce qu'est le postmodernisme architectural, tout à la fois pluriel et cohérent, c'est la fragmentation de la personne qui est le cœur battant du lien social postmoderne. Elle caractérise cette nouvelle constellation sociétale ayant nom *tribalisme*.

Pour ma part, reprenant la prophétique invocation rimbaldienne : « Je est un autre », j'ai montré comment la *Conquête du présent* (1979), dont on voit les conséquences de plus en plus évidentes, ne pouvait se comprendre qu'à partir de ces masques, rôles, théâtralités que la personne plurielle s'emploie à jouer au jour le jour[1]. Elle est double et duple. Duplicité lui permettant, sur la longue durée, de savoir résister aux multiples pouvoirs établis.

---

[1]. M. Maffesoli, *La Conquête du présent*, *op. cit.*, p. 673-915 ; *cf.* en particulier chap. 7 et 8.

Personne plurielle et tribus émotionnelles, voilà ce qu'il est, de nos jours, difficile de nier, ou de dénier.

Face à une telle évidence, l'attitude, répandue dans le milieu politique ou journalistique, est de s'en tenir à cette opinion commune, enracinée dans les systèmes philosophiques et sociaux des siècles XVIII et XIX, convaincue que l'individualisme est toujours triomphant. Ce sont des esprits simples, persuadés – puisqu'on le leur a dit – que l'individu, « maître de lui comme de l'Univers », ainsi que l'a édicté Corneille, est ce sur quoi il faut faire fond. La pierre d'angle du fameux « contrat social » que l'on essaie de replâtrer de toutes parts alors que c'est sa structure même qui est, complètement, vermoulue.

Or, en ces moments de profondes mutations, il est vain de se contenter de quelques bricolages adventices. Comment se contenter de nager entre deux eaux, ou de faire quelques tours de prestidigitation ? Une pensée radicale exige un regard pénétrant capable de voir le noyau *fatidique* des choses. Donc inéluctable. Tant il est vrai que quand quelque chose advient, il faut au mieux accompagner, en tout cas laisser être ce qui est. Ce qui est prend la forme de la force vitale, dont il a été question, et faisant que malgré la prétendue crise, *ça vit*. Il y a ce que j'ai nommé ruse, duplicité, toutes choses gages d'une indéniable vitalité. Voire, pour le dire en termes plus soutenus, d'un réel vitalisme. Il s'agit, en son sens plénier, d'expérimenter une nouvelle manière d'être, où la passion, le désir sont les éléments essentiels.

À la *civilisation* raisonneuse, celle d'une histoire maîtrisable et d'un lien social contractuel, succède une *culture* de l'instinct, où l'on veut s'affronter au destin. La première repose sur un projet prédictible : projet de vie, économique, éducatif... La seconde joue l'aléa, le risque, l'aventure. L'individu rationnel et contractant dans le cadre des institutions stables, individu pivot essentiel de la science politique (celle des sondages par exemple, dont on mesure de plus en plus l'inanité), serait remplacé par une personne à tout le moins incertaine, mais dont le vouloir-vivre instinctuel semble irrépressible.

La versatilité des opinions, le reflux de l'engagement politique seraient les manifestations les plus tangibles d'un tel glissement, que l'on peut expliquer par une sorte de *désubjectiva-tion*. L'esprit du temps n'étant plus au subjectivisme d'obédience apollinienne, mais bien à une *dépense* de soi, une perte dans l'autre. *Transfiguration du politique*, où ce n'est plus l'individu qui s'engage, mais la personne qui s'arrache aux adhérences, qui *s'éclate* pour accéder à un soi plus vaste : soi de la tribu, soi de la nature ou le soi de la religiosité.

Dans cette fragmentation du soi au Soi, tout est *relatif*, c'est-à-dire tout est relation. Et l'addiction aux jeux de rôles, aux « chats » et aux divers sites communautaires est la manifestation par excellence d'un tel éclatement. À moins qu'il faille dire d'un tel élargissement[2]. En effet, développement technologique aidant, la reviviscence du *daïmon* socratique, que l'on retrouve également dans le romantisme, met l'accent sur une force de croissance naturelle, fondement instinctuel du fonctionnement de l'être vivant.

On pourrait multiplier le nombre de citations d'esprits aigus qui, en tous les domaines, ont insisté sur la fragilité individuelle. De

---

[2]. *Cf.* le livre du philosophe H. Azuma, *Génération Otaku*, Hachette, 2008.

Nietzsche insistant sur l'*identité incertaine*, à Proust faisant une distinction entre un moi individuel et l'*être plus profond,* bien des auteurs ont exprimé une prémonition timide qui s'avère aujourd'hui d'une banale réalité. Mais à l'image de la « lettre volée » du conte de Poe, c'est trop *évident* pour que nous en prenions conscience. Nos *évidences* intellectuelles nous l'interdisant. Et pourtant elle *est là* cette fragmentation de l'identité en identifications multiples.

Dans le cadre de l'institution éducative moderne, le petit enfant que l'on avait su mener de l'animalité à la civilité, ou de la barbarie à l'humanité, était pourvu d'une identité intangible. Identité sexuelle tout d'abord : homme ou femme. Son genre devait être établi et stable. Identité professionnelle, également, le faisant entrer dans une fonction aux contours bien définis, fonction qu'il devait exercer tout au long de son existence active. Identité idéologique enfin, l'intégrant dans un clivage fonctionnel : politique, intellectuel, éventuellement spirituel, en tout prévisible et sécurisant.

C'est sur la base d'une telle « identification » que tout un chacun était *casé* dans les fameuses classes sociales ou non moins réputées « catégories socioprofessionnelles ». Ainsi tout était en ordre et les vaches étaient bien gardées : les votes politiques et syndicaux, les réactions sociales, les diverses impulsions ou motivations d'achat ne pouvaient se faire qu'en fonction des cases préétablies et des *distinctions* qu'elles généraient.

Ce bel édifice est mis à bas par la publicité, la mode, les jeux de rôles où ce sont les sincérités successives qui semblent prédominer. Ce qui, par parenthèse, fait *tourner en bourrique* les divers sondeurs et autres protagonistes de l'« ingénierie sociale » se prenant pour des sociologues, confrontés qu'ils sont à telle opinion en un temps « t », et à telle autre à « t + 1 » ou « t + 2 », c'est-à-dire un jour, une heure, une seconde plus tard ! Et ce, bien entendu, chez le même individu.

Porosité donc des identités sexuelle, idéologique, voire professionnelle. Sur ce dernier point, par exemple, le désarroi des chefs d'entreprise confrontés au *turn over* des cadres est émouvant. Incapables qu'ils sont de comprendre que l'on ne gère plus une entreprise selon le bon vieux modèle « tayloriste » bien rationnel s'adressant, tout de go, à des individus rationnels, à l'identité tranchée et pérenne.

La personne plurielle s'observe également dans l'indécidabilité, perceptible dans la publicité, quant au sexe. Bien délicat, parfois, de discerner le genre en question. La mode « unisexe », l'androgynisation galopante, le développement de la cosmétique masculine, les postures corporelles indéfinies, les coiffures interchangeables, l'usage généralisé du tatouage et du piercing, toutes choses qui, à l'image d'autres époques baroques, et au plus proche, justement, de la signification « *barroco* » : perle irrégulière, jouent sur les *irrégularités* de l'existence humaine.

On pourrait gamberger sur l'ambiguïté sexuelle perceptible dans la bisexualité, dans le développement de l'échangisme sexuel, la multiplication des lieux *ad hoc*, la reconnaissance des sexualités alternatives. Tout cela est symptomatique du changement culturel en cours : l'*ombre de Dionysos* se projetant sur les mégalopoles postmodernes. Dionysos est, selon les historiens des religions, un *dieu aux cent noms*, multiple, changeant, toujours ailleurs que là où l'on croit l'avoir *casé* : figure emblématique de la fragmentation dont je viens de parler.

L'invention de l'individu fut la marque des temps modernes. Le cartésianisme, les Lumières, les grands systèmes sociaux des siècles XVII, XVIII et XIX théorisèrent et canonisèrent un tel processus. Or, pour le meilleur et pour le pire, la « personne tribale » est bien présente et vivant au présent. Il ne sert à rien de le nier. Regarde ce qui est là, lecteur ! « Vois-ci. »

Le phénomène des *tribus* est là, irrécusable. Et en même temps on ne veut pas le voir. Ou plutôt, dans le meilleur des cas, on en admet bien l'existence, mais comme moment transitoire : *il faut bien que jeunesse se passe*. La plupart du temps, ceux qui font profession d'analyser cette jeunesse, ces soi-disant « chercheurs » vont être obligés, l'air embarrassé, de reconnaître les nombreuses manifestations d'un tel tribalisme. Comme toujours, ils vont se démarquer, et reprendre des concepts éculés des années 1960 : groupes, bandes et autres balivernes de la même eau. Au moins ça ne mange pas de pain, et ils pourront, tranquillement, continuer à gaspiller en vain l'argent public ! Mais voilà, les tribus postmodernes sont spécifiques. Et méritent d'être pensées comme telles.

C'est vrai, habitué que l'on est à ronronner en chœur, penser n'est pas chose facile. *Correctness*, quand tu nous tiens ! On se tranquillise à lire des analyses convenues dans son bulletin paroissial. L'époque est grande consommatrice de neuroleptiques. Et l'on ne veut rien entendre qui puisse nous tourner les sangs. Oui, mais voilà, il faut se rendre à l'évidence, la vie n'est pas un long fleuve tranquille. On s'est employé à la domestiquer on ne peut plus. L'aseptie, la sécurisation sont l'idéologie *officielle*. Mais la société *officieuse*, elle, tend à s'exprimer. Et ce qu'elle exprime c'est une forme d'ensauvagement. Le tribalisme n'est pas autre chose.

Il ne faut pas avoir peur de penser à contre-courant, et de bousculer les conformismes. C'est ainsi que je proposerai trois grandes caractéristiques du phénomène tribal : prévalence du territoire sur lequel on se situe, partage d'un goût, retour de la figure de l'enfant éternel. Toutes choses qui semblent paradigmatiques du *sentiment d'appartenance* qui en est la cause et l'effet.

Dans l'ordre, prenons la première de ces caractéristiques : le lieu, le territoire, le localisme. D'une manière abrupte, le social est lié au temps. La socialité le sera à l'espace.

D'un point de vue ethnologique la tribu, *stricto sensu*, était une manière de lutter, ensemble, contre les multiples formes d'adversité dont la jungle n'était pas avare. Le lieu, que l'on avait apprivoisé, était ainsi une garantie tout à la fois de survie et de solidarité. N'est-ce point quelque chose de cet ordre qui est en jeu dans ces *jungles de pierre* que sont les mégapoles postmodernes ! Le quartier, la cité, les quatre rues sont comme autant de territoires que l'on partage avec la tribu, que l'on s'emploie à défendre, parfois même violemment, mais qui sont une véritable matrice où le vivre-ensemble trouve son expression naturelle. Parfois, quittant son territoire, la tribu fait quelques dérives dans tel autre quartier de la ville, dans tel « haut lieu » qui l'attire sans lui être familier. Toutefois, le point d'attache, la source de son rythme communautaire reste le lieu où elle a son *habitus*, ses us et coutumes.

On peut, certes, se lamenter et lancer quelques incantations grandiloquentes sur l'unité du territoire national, il vaut mieux

reconnaître le développement de ce localisme tribal, ne serait-ce que pour en éviter
les effets les plus nocifs. Il est vrai que penser le localisme c'est aller à contre-courant
des grandes théories de l'émancipation propre au siècle XIX, pour lesquelles il s'agissait
à toute force de déraciner les modes de vie,
les manières d'être et de penser.

Il se trouve que c'est une forme d'enracinement qui revient à l'ordre du jour. Mais alors
que *l'État social ne fonctionne plus,* c'est bien à
partir de ces racines que s'élaborent les nouvelles formes de solidarité, d'autres manières
d'exprimer la générosité, les entraides quotidiennes, voire la prise en compte des souf-
frances, des maladies et autres manifestations
de la détresse humaine[3]. L'enracinement
devient dynamique et délimite l'orbe d'un
lien sociétal en profonde mutation.

Le partage du territoire doit être mis en
parallèle avec le partage d'un goût. Ne serait-
ce que parce que très souvent le goût est tributaire du lieu où il peut s'exprimer.

---

[3]. *Cf.* H. STROHL, *L'État social ne fonctionne plus*, Albin
Michel, 2008.

Considérons les tribus postmodernes comme étant une manière de partager un goût spécifique. Ainsi nos cités ne seront qu'une ponctuation de lieux, parfois de « hauts lieux » où vont se retrouver les tribus musicale, sportive, culturelle, sexuelle, religieuse. Et ce afin d'y célébrer le goût servant de ciment à chacune des tribus. Il est important d'insister là-dessus. C'est à partir d'émotions, de passions, d'affects spécifiques que l'on va, dès lors, penser et organiser le lien social. Or en même temps « des goûts et des couleurs on ne discute pas. » C'est-à-dire qu'il est bien délicat de continuer à se représenter le monde à partir d'un universalisme qui nous est si habituel.

Le goût est un monde en raccourci. Comme le dit, si justement, le romancier et universitaire anglais David Lodge : « Un tout petit monde. » Parlant de tel cocktail, mondain ou pas, de telle manifestation syndicale, de tel rassemblement politique, sans oublier les diverses occurrences culturelles, il est fréquent d'entendre dire : *Il y avait tout le monde !* Procédé métonymique s'il en est où le *tout* est désigné par une partie. Peut-être même une toute petite partie. Mais ce « tout le monde » est bien le monde connu, familier, habituel. En d'autres termes un monde tribal.

Celui où le partage d'un goût sert de légiti-
mation, de parfaite rationalisation au plaisir,
au désir ou, tout simplement, à la nécessité
d'être-ensemble, de vivre-ensemble.

Le lieu, le goût nous conduisent à cette
autre caractéristique propre aux tribus postmodernes qu'est le fait de mettre l'accent
sur ce qu'il est convenu d'appeler l'*enfant
éternel*. En effet, jouer en des lieux, des
hauts lieux urbains, y vivre ses goûts, et ses
passions, n'est-ce point, sans que ce terme
soit péjoratif, l'expression d'un étonnant
enfantillage? Le mythe du *puer aeternus* est
une thématique récurrente dans les histoires humaines. Contes et légendes, mythologies diverses ou histoires avérées ne
manquent pas de rappeler que la figure de
l'enfant a pu être essentielle dans certains
imaginaires sociaux.

Il se trouve, pour reprendre une notion de
Durkheim, que la *figure emblématique*
moderne est celle de l'adulte sérieux, rationnel, producteur et reproducteur. Figure contaminatrice qui sera l'étalon à partir duquel va
se penser et s'organiser la vie sociale. Le rationalisme, la prévalence du travail, le contrat
social, tout cela repose sur un tel fondement.

Mais par un processus de saturation et donc de balancier, cette figure que l'on peut dire apollinienne ou prométhéenne, laisse la place à celle, dionysiaque, de l'adolescent perpétuel. Figure qui, elle aussi, devient emblématique, et contaminatrice.

Tout un chacun va parler jeune, s'habiller jeune, rester jeune, et l'on pourrait, à l'infini, multiplier les occurrences en ce sens. Or il se trouve que la structure naturelle d'un tel *enfant éternel* est une structure fusionnelle, voire confusionnelle. Autre manière de dire la tribu. C'est en ce sens que le *jeunisme* contemporain, tout en ayant de solides et de profondes racines anthropologiques, s'inscrit parfaitement dans la constellation tribale en cours. Et là encore, plutôt que de le regretter, ou de s'en lamenter d'une manière chagrine, peut-être faut-il y voir l'expression d'une vitalité de bon aloi nous rendant attentifs à une autre manière d'être-ensemble.

Celle-ci ne peut, en aucun cas, comme il est par trop fréquent de le dire, se résumer à un simple *communautarisme*. Je me suis déjà expliqué sur ce qui semble être l'expression d'une paresse intellectuelle et d'une sottise théorique[4]. Il n'est jamais de bonne guerre

de stigmatiser ce qui est. Il vaut mieux le
comprendre, éventuellement l'accompagner,
ne serait-ce que pour en fléchir le sens si
celui-ci nous paraît par trop pervers. Mais en
la matière est-ce vraiment du *communautarisme* dont il s'agit ou mieux de l'émergence
d'un *idéal communautaire*?

Celui-là est isolationniste, s'intégrant le moins
possible dans l'espace environnant. Celui-ci
est, au contraire, relationniste. Ainsi que je l'ai
montré, la personne plurielle, n'existant que
par et grâce à l'autre. Il est d'ailleurs instructif
de noter que si ce terme de « relationniste »
n'est plus usité en France, au Québec, où la
langue a gardé un sens « plus pur », il désigne
celui qui est chargé des relations publiques.
Pensons celles-ci d'une manière métaphorique : l'élaboration d'un nouvel espace public
non plus à partir d'une conception pyrami-
dale et/ou unifiée, ainsi qu'il fut coutume de
le faire, mais à partir de la fragmentation, de
la dissémination. C'est cela même dont il est
question dans l'idéal communautaire tribal.

J'ai rappelé ce que la *postmodernité* sociétale
devait au *postmodernisme* architectural, en tant

---

[4]. M. MAFFESOLI, *Apocalypse, op. cit.*

que construction organique à partir d'éléments disparates, pris en des milieux dissemblables dans l'espace et dans le temps. C'est divers, et pourtant *ça* tient! Les ensembles de Mandelbrot, en mathématiques, font ressortir quelque chose de cet ordre. Que sont donc, en effet, les *objets fractals* sinon des créations dont la forme est faite d'irrégularités, de fragmentations? Les mathématiques, en la matière, ne faisant que théoriser la foultitude d'exemples offerte par la nature (flocons de neige, bronchioles, etc.). Il se trouve que c'est une telle fractalité que l'on va retrouver dans les réseaux sociaux qui, de surcroît, sont confortés par les développements des moyens de communication interactive propres à Internet.

L'art ne s'y est pas trompé. Des plasticiens ont fait du fractal l'objet privilégié de leur expérimentation. Mais, également, la chorégraphie qui, avec des créateurs comme Pina Bausch ou Merce Cunningham, ont mis l'accent sur l'organicité des moments fragmentés constituant leurs spectacles. La danse postmoderne est une bonne illustration de l'étroite liaison du corps, en ce qu'il a de plus archaïque, de la technologie on ne peut plus actuelle et de l'environnement dans lequel l'ensemble se situe.

Au-delà de ces exemples artistiques, retenons l'idée que la nature est un complexe réseau de choses disparates. Il en est de même de la société où les *choses* humaines s'articulent en des réseaux multiples, opposés, très divers et n'en faisant pas moins sens. Comme le rappelle l'anthropologue Gilbert Durand, tout l'art du penseur est bien de saisir de quoi sont composés ces *bassins sémantiques.* Le refus de constater l'existence des réseaux sociaux, des sites communautaires, la pluralisation de la personne, l'importance des diverses tribus, tout cela ne fait que bafouer l'honnêteté intellectuelle. Ce qui, il faut bien le reconnaître, est fréquent dans le conformisme logique ambiant.

Et pourquoi cela ? Sinon parce que notre pente naturelle consiste à reproduire ce que l'on sait faire. À reconduire les analyses en rendant compte. Ne l'oublions pas, le *cerveau reptilien* des temps modernes se constitue en un temps, les siècles XVII, XVIII et XIX, où les disparités ont été gommées, les spécificités niées, les particularités durablement écartées. Tout doit se plier à la règle classique de l'unité : de lieu, de temps et d'action. À l'image du Dieu un, l'individu doit avoir une identité unique, l'État est unifié, l'institution se rationalise. La formule d'Auguste Comte résume un tel processus : *Reductio ad unum !* C'est parce que notre inconscient intellectuel reste marqué par le monothéisme qu'il est difficile de prendre acte du fait que l'indivi-dualisme a fait son temps, tout comme l'unité d'une République une et indivisible.

En pendant de ce qui a été dit de ces exemples artistiques : postmodernisme, fractal, danse postmoderne, la figure de la mosaïque ne manque pas d'intérêt, pour illustrer mon pro-pos. Et ce, car tout en respectant la diversité des éléments la composant, elle les cohère en une organicité plus grande. Il est un terme de la philosophie médiévale que l'on emploie, parfois en faux-sens, et qui peut permettre de comprendre la spécificité de la mosaïque : *uni-cité*. Il ne s'agit pas de l'*unité* en ce qu'elle a de fermé et, donc, de rigide, mais bien de la cohérence souple et ouverte d'éléments hété-rogènes. Pour le dire en termes historiques, non plus la République en son sens jacobin, mais la *res publica* d'antique mémoire, la chose publique permettant la coïncidence de formes et de forces opposées.

L'historien Philippe Ariès, dont on connaît le non-conformisme roboratif, nommait *groupes immédiats* ou *petites collectivités* ces entités spontanées, antérieures à un niveau plus rationnel d'organisation, et qui constituent le fondement même de tout être-ensemble[5]. Peut-être y a-t-il retour de telles entités. Elles constitueraient l'*idéal communautaire* de la socialité postmoderne : une société en dehors ou à côté de l'État ; un espace social vital ayant une autonomie spécifique. Ces « TAZ », *zones d'autonomie temporaire* dont Hakim Bey nous a entretenu, ne sont pas sans écho auprès des jeunes générations. Celles-ci ne recherchent plus une utopie lointaine, abstraite et quelque peu rationnelle, mais une fragmentation en petites utopies interstitielles vécues, tant bien que mal, au jour le jour, ici et maintenant.

La mosaïque sociétale serait, dès lors, l'ajustement de ces petites communautés forgées elles-mêmes par les solidarités du quotidien, les us et coutumes de la tribu, et les rituels spécifiques que tout cela ne manque pas d'induire. Il se trouve, n'oublions pas ici l'air du temps dionysiaque et le mythe de l'*enfant éternel* dont il est cause et effet, que cet

---

[5]. *Cf.* P. Ariès, *Un historien du dimanche*, Seuil, 1980. Par exemple, p. 56, 60, 84.

ajustement va se faire à partir de tous les aspects esthétiques, ludiques inhérents à cette socialité. Après tout, il est des cultures reposant sur un tel fondement festif. Moments où, au-delà d'un principe centralisateur et unificateur, l'être-ensemble, en son *unicité*, est fait de réciprocités, d'interactions, de partage de passions et d'émotions, en bref d'une coparticipation, d'un *monde-avec* des diverses communautés les unes par rapport aux autres.

Voilà ce qu'était la *res publica* prémoderne, et ce que risque d'être la postmoderne. Ce qui ne manque pas de nous inquiéter, car à la domestication des mœurs, à la civilisation des passions qui avaient prévalu tout au long de la modernité, est en train de succéder une forme de *réensauvagement* du monde. Ce dernier ne voulant pas dire qu'un nouveau lien solide ne se mette pas en place. Un lien plus émotionnel que rationnel. Le lien du *pacte* prenant la place du contractuel. Mais après tout ne peut-on pas y voir là la (ré)émergence de ce que Leibniz nommait un « lien substantiel », celui où l'affect aurait sa part ?

Invagination du sens

> *Il y a une gravité dans le frivole, une grandeur*
> *dans toutes les folies, une force dans tous les*
> *excès.*

C. Baudelaire, *Le Dandy*

Ensauvagement du monde, prévalence du corps, pacte émotionnel, personne plurielle se « perdant » dans la tribu affectuelle, voilà donc quelques caractéristiques essentielles de la postmodernité. Ces métaphores tentent de décrire, de constater, de présenter ce qui est. Dois-je, encore, le préciser : il s'agit d'un *jugement de fait* ne s'embarrassant pas d'un *jugement de valeur*.

C'est d'ailleurs une spécificité de l'époque, l'attitude normative ne fait plus recette. Il ne suffit plus d'anathémiser quelque chose pour le faire disparaître. L'incantation judicative, ressassée, n'emporte plus l'adhésion, laisse indifférent. Surtout elle est inefficace. Les faits sont têtus et résistent à cette constante sécrétion de *moraline* (Nietzsche) particulièrement abondante chez ces vieux cacochymes, qui ont le pouvoir de faire et celui de dire ce qui *doit être*. Or, la force des choses est irrépressible. Et à certains moments, il est vain de lutter contre la lente montée de la marée. C'est cela que l'on peut nommer l'*invagination du sens*.

Petit rappel sociomythologique. Lorsque dans la tradition sémitique s'est, progressivement, élaborée cette croyance en un Dieu unique et, de surcroît, mâle, il a fallu mener une lutte farouche contre tous les cultes, à dominante féminine, ponctuant le pourtour méditerranéen. Cultes dits de hiérogamie, d'union sacrée, au cours desquels les fidèles s'unissaient entre eux en rappel de ce qui les liait à la *terre mère*. Cultes fusionnels, confusionnels, orgiastiques. C'est ainsi que dans l'Ancien Testament les prophètes vont combattre les rassemblements en ces *hauts lieux* où étaient adorées icônes, idoles suscitant, justement, de tels cultes. Dieu doit être inaccessible, on ne doit pas faire d'images le représentant, il convient de l'adorer *en esprit et en vérité*.

Corrélativement à cette abstractisation du divin, à son déracinement de cette *terre mère*, s'élabore dans cette tradition culturelle le mythe du paradis. Paradis perdu, paradis à venir. La vraie vie étant soit reléguée dans un âge d'or passé, soit dans une utopie future. Le sens est projeté. Il suffit pour s'en convaincre d'observer comment le mot *sens* désigne tout à la fois la signification et la finalité. Ce qui dans l'inconscient collectif de cette culture renvoie au fait qu'il n'y a de vraie signification que s'il y a un but à atteindre, un idéal à réaliser, une finalité à parfaire. L'expression courante le *sens de la vie* dit bien ce qu'elle veut dire : il n'y a de vie que si celle-ci est orientée, va quelque part.

Dans cette tradition sémitique, les religions monothéistes vont, chacune à leur manière, développer cette « orientation » de la vie. Puis les diverses religions séculières : marxismes, socialismes et multiples progressismes reprendront le flambeau. Il y a, entre elles, une homologie structurelle. En chacun de ces cas la vraie vie est ailleurs. Il convient de mobiliser les énergies individuelles et collectives : éducation, politique, économie, projets divers, afin de retrouver le paradis perdu. Et ainsi accéder, dans le ciel ou sur la terre, mais toujours *plus tard* à la perfection, la plénitude d'une jouissance à venir.

Par une étonnante inversion de polarité on peut observer que, de nos jours, le sens n'est plus cherché dans le lointain mais, bien au contraire, ici et maintenant. Les déclinaisons d'un tel *carpe diem* sont légion, mais toutes concernent, pour le dire brièvement, le culte du corps, un hédonisme diffus et le sentiment tragique de la vie. Ceci est une spécificité de la postmodernité. Qu'est-ce qui est en jeu? Sinon qu'à l'opposé d'une suspicion multiforme vis-à-vis du monde, renaît à son égard une sorte de fascination. Sans que cela s'exprime sous une forme précise, confiance est accordée à ce monde-ci ou à cette terre-ci. À ses forces telluriques, celles de l'instinct. Toutes choses s'exprimant dans le festif, les célébrations de la mode, celles de la peau ou des humeurs sociales.

Au travers des phénomènes quotidiens du corps que l'on soigne, habille, construit, c'est une sorte d'élan vital qui s'exprime. *Élan* revitalisant des sociétés assoupies dans le bien-être et la fadeur. Des sociétés s'étant alourdies de mauvaise graisse, et ayant fait du bonheur matériel l'étalon d'une vie réussie. Vitalisme, en particulier, des jeunes générations, au travers de leurs rébellions et de leur liberté de ton et d'allure, faisant resurgir, de manière parfois éruptive, les instincts primordiaux. Instincts n'étant plus, simplement, canalisés, domestiqués dans le cadre d'une ontologie stable (par exemple celle de l'identité, individuelle ou de classe), mais laissés à leur liberté première, celle des identifications multiples : les masques de la personne.

C'est cela que je nomme *invagination*. Une logique de *regrès*. Un retour au ventre, aux sens, au sensible. Un temps d'arrêt en quelque sorte. C'est-à-dire ne plus se laisser emporter par le flux incessant du progrès et de son idéologie, le *progressisme*, mais s'accorder aux rythmes, quasiment physiologiques, de l'existence. Rythmes exprimant, selon Leroi-Gourhan, la *sensibilité viscérale* : sommeil-veille, digestion-appétit[1]... Cadences physiologiques dont l'oubli est à l'origine de tous les méfaits ou dysfonctionnements individuels ou collectifs.

Belle expression que cette « sensibilité viscérale » ! Tout comme celle d'*invagination*, elle rappelle que l'on ne peut plus penser l'humain à partir du seul cerveau, mais qu'il est, également,

_____

[1]. A. Leroi-Gourhan, *Le Geste et la Parole*, Albin Michel, 1965, vol. I, p. 135. Sur le « regrès », *cf.* aussi le stimulant livre de J.-D. Vincent, *Élisée Reclus, géographe, anarchiste, écologiste*, Robert Laffont, 2010.

corps. Que ce corps doit être attentif aux rythmes le constituant. Que la vie n'est belle que si on en a *appétit*. C'est un tel appétit qui fait de la postmodernité le symbole de la fin du « projet » monothéiste. Fin de la mobilisation de l'énergie pour un but lointain. Et, dès lors, retour à un autre niveau de ce qui fut le désir païen de ce monde-ci. Il est, à cet égard, instructif de voir, sous forme paroxystique, resurgir d'explicites références aux pratiques prémodernes (c'est-à-dire préchrétiennes) de l'orphisme ou du dionysisme.

Tribus musicales multiples jouant sous le patronage de Dionysos, choregraphiés, telles celles de Jan Fabre ou de Pina Bausch aux allures nettement païennes. Mises en scène théâtrale, où l'animalité et la divinité le disputent à un humain réduit à la simple raison. Toutes choses redonnant force au mysticisme et aux multiples formes du panthéisme. Souvenons-nous que, en son sens plénier, le « paganus » c'est celui qui est, pour le meilleur et pour le pire, attaché à la terre. À cette terre-ci.

Évoquant les peintures d'Herculanum et de Pompéi, ces peintures enfouies dans la cata - strophe que l'on sait, mais qui sont aussi

belles, et combien émouvantes deux mille
ans plus tard, justement parce qu'elles traduisent le désir, les passions et le *bien-être*
liés à un lieu et à un moment de bonheur,
Goethe rappelle : « L'instant devait être prégnant, suffisant à lui-même pour pouvoir
devenir une digne césure dans le temps et
l'éternité » (*Lettre à Zelter*, 1829). Un tel instant prégnant est bien celui du *kairos*, de
l'opportunité qu'il fallait saisir sur le
moment sans se préoccuper du futur ou
d'hypothétiques arrière-mondes. *Instant éternel* qui était signe de la présence au monde
dans la prémodernité, et qui semble être la
temporalité dominante dans la postmodernité. L'accueil de la *bonne occase,* le présentéisme sont comme autant de ponctuations
martelées, avec force, dans l'intensité de l'expérience quotidienne.

Ce point d'inversion où le futur devient présent, voire instant, est on ne peut plus évident dans le *corporéisme* qui, d'une manière
diffuse, contamine nos sociétés. Le culte du
corps est, toujours, l'indice du (re)nouveau
du vitalisme. Un printemps de l'existence. Il
signe, aussi, le déclin du politique et la reviviscence de la mystique. Mystique en son
sens plénier, celui de l'interdépendance des

choses, de l'harmonie par rapport au cosmos. La cosmétique : valorisation du corps
que l'on pare (mode), que l'on soigne (diététique), que l'on construit (*body building*), que
l'on conserve (*anti-aging*) est une manière de
rappeler le retour d'un ordre symbolique.
Ordre reposant sur la reconnaissance de
l'autre. Sur le fait, également, que l'on
n'existe que par et sous le regard de l'autre.
L'ordre symbolique (on peut dire pour souligner la prévalence des sentiments *ordo
amoris*) est *trajectif*, c'est-à-dire supra-indivi-
duel, interactif.

L'ordre symbolique, au-delà ou en deçà du
rationalisme moderne, réinvestit les grands
discours mythiques. Ces légendes qui, curieusement, continuent à faire vibrer sinon les
esprits du moins les âmes. La perdurance du
mythe du Graal, le succès de la saga *Harry
Potter*, ou celle du *Seigneur des anneaux* en
témoignent. En chacun de ces cas le héros ne
vaut qu'en ce qu'il *typifie* la communauté
qu'il présente. En tant que stéréotype il pro-
clame bien haut les caractéristiques des
archétypes collectifs. Pour ce faire, l'âme et
le corps sont unis en un mixte étroit et solide.
Voilà ce que j'appelle déclin de la politique,
reviviscence de la mystique. C'est-à-dire que

ce qui préoccupe ce ne sont plus les *événe-ments* historiques, mais bien les *avènements* destinaux. Les célébrations du corps dans l'ordre symbolique et dans la *cosmétique* qui en est l'illustration, constituent une mise en présence des autres de la tribu, de l'autre qu'est la nature, sans oublier cet autre qu'est l'ordre du *sacral* (le sacré diffus, la religio-sité). Aussi étonnant que cela puisse paraître, c'est pour une telle triade que l'on se « cos-métise ».

Sans aller chercher midi à quatorze heures, on peut dire que c'est cela la *création au quo-tidien*. La créativité faisant œuvre d'art exis-tentielle. C'est-à-dire donner à l'existence la plus belle forme possible : dans l'habiter, l'habiller, le manger. Toutes choses n'étant pas, simplement, physiologiques mais étant traversées par une charge *imaginale*. Ou plu-tôt étant à la fois matérielles et immaté-rielles. C'est une telle organicité qui marque profondément la postmodernité, et que l'on peut résumer au travers de quelques oxy-mores fécondants : *matérialisme mystique, cor-poréisme spirituel*.

C'est une telle synergie dont on peut enten-dre l'écho dans l'œuvre prémonitoire du

dernier Foucault (celui du « souci de soi »)
ne réduisant pas la morale à une simple
obéissance à la loi. Parlant, également, de la
conversion à soi. Et, enfin, rendant attentif à
cette thématique nietzschéenne de la vie
comme œuvre d'art, à l'importance du goût.
« Pourquoi un tableau ou une maison sont-
ils des objets d'art, mais non pas notre
vie[2] ? » Tout au long de son œuvre Michel
Foucault a le souci de ce qu'il nomme la
recherche d'une « extériorité sauvage ».
Serait-ce par trop extrapoler son propos que
de voir dans l'invention de soi (du soi personnel) une sorte d'invention au soi (au soi
collectif) ? Rapport du type et de l'archétype.
Obéissance à quelque chose qui est pré-individuel. Les us et coutumes de l'espèce. L'invention au soi, c'est faire venir au jour (*in
venire*) ce qui est déjà là. En permettre l'avènement.

Voilà ce qu'est le corporéisme postmoderne.
J'avais nommé cela *Au creux des apparences*
(1990). J'entendais dire par là que les apparences étaient un véritable creuset où s'éla-
borait l'être-ensemble. Un moule où
l'expression corps social n'était pas simple

[2]. M. Foucault, *Dits et écrits*, Gallimard, 1994, IV, p. 617.

flatus vocis sans consistance mais réalité pré-
gnante et intangible. Une forme où, au sein
des multiples tribus constituant l'ensemble
social, l'exacerbation du corps propre confor-
tait le corps collectif. En bref la forme est for-
mante. Et ce au travers de l'avènement du
corps que l'on pare, de celui que l'on soigne
et de celui que l'on construit.

Il est en effet instructif de voir le développement de la mode. Habiller, parer n'étant
plus la spécificité d'une partie de l'humanité, la plus animale : la gent féminine, mais
devenant une caractéristique générale. Le
développement des magazines masculins en
témoigne, mais également celui des magasins de « fringues ». Et c'est sans honte que
jeunes gens et jeunes filles confondus se
préoccupent de leur tenue, il vaudrait
mieux dire de leurs tenues. Étant bien
entendu que cette pulsion animale, ou pri-
mitive, se parer, n'est pas cantonnée à une
tranche d'âge précise mais va, transversalement, contaminer l'ensemble des générations. C'est ainsi que les périodes des soldes
se répétant régulièrement dans le calendrier
liturgique de la consommation, sont les
temps forts de la célébration du vêtement.
Mieux, pour rester dans l'ordre religieux :

temps fort de la *vêture*. Cérémonie de la prise d'habit grâce à laquelle le postulant est intégré à la communauté.

Il est bien question d'une *prise d'habit* dans ce devenir mode du monde. Couleur des cheveux, tatouages divers, piercings des plus bizarres, pièces de vêtements ethniques, foulards « bon chic bon genre » ou chapeaux maffieux (la liste est loin d'être close) confortant l'appartenance à la tribu à laquelle on entend s'identifier. Les masques divers que l'on peut revêtir témoignent de la multiplicité des tribus auxquelles on participe. La journée brillant manager cravaté aux allures guindées, le soir en jean et col ouvert dans les boîtes de nuit mal famées où l'on se dévergonde.

C'est dans le même ordre d'idée que l'on peut envisager le développement de la diététique. Le corps que l'on soigne.
Là encore multiplication des magazines et des magasins *ad hoc*. Le souci de soi n'est plus l'apanage de quelques *happy few*, mais devient celui du grand nombre. Il ne faut pas l'oublier, la culture repose sur un lent processus de germination. Germination d'images, de préoccupations, de souvenirs qui tout d'un coup, émergent. C'est ainsi que la diététique,

souci de quelques avant-gardes, sort des boutiques spécialisées et confidentielles et se répand dans les marchés populaires, voire dans les grandes surfaces. Le « e-commerce » n'est pas en reste qui, en élargissant le domaine et le nombre de clients, souligne que l'on est bien confronté à un phénomène sociétal et non, simplement, passager.

Quelle est la signification essentielle d'un tel phénomène ? Pour bien le saisir, faisons un petit rappel généalogique : le corps, au siècle XIX, apogée de la modernité, n'a de légitimité que s'il travaille. Les historiens ou les philosophes dans la mouvance de Michel Foucault, ont analysé cette constante : le corps vaut s'il est producteur ou reproducteur. Il est, tout comme la nature dont il est un élément, un objet à exploiter à merci. Il doit être domestiqué, dressé, mis au travail.

Ce corps productif laisse la place à un corps érotique. Un corps partenaire avec lequel on doit compter, et qu'il convient de soigner. En somme, la diététique relève de la réversibilité. Souci de la trajectivité, du va-et-vient. Pour utiliser un *gros mot* à la mode, il s'agit d'une mise en perspective *holistique*. Liaison étroite du corps et de l'esprit. Ainsi la diététique va de pair avec toutes ces techniques du *New Age*, où les syncrétismes religieux et philosophiques jouent un rôle important. C'est en tant que morceau du monde que l'on *soigne* le corps propre.

Il en est de même pour le corps que l'on construit. Même ritournelle : il suffit de voir la prolifération des magazines spécialisés, ou des salles de musculation ou de *fitness* pour s'en convaincre. Pour les esprits pressés, et quelque peu superficiels, il s'agit de la manifestation évidente de l'exacerbation du fameux « individualisme contemporain ». Pour peu que l'on sache voir de près, et donc dépasser les idées convenues, l'on se rend compte que tout à la fois ce corps on le *construit* sous le regard de l'autre et afin qu'il soit vu par l'autre.

C'est frappant dans les salles de musculation des grandes villes, sur les terrains de sport consacrés à ce phénomène ou sur les plages surpeuplées où cela frise la caricature. Il suffit d'observer le jogging matinal tout au long de Copacabana à Rio, ou sur les plages californiennes, pour se convaincre de la dimension tribale de cette sculpture du corps. Celle-ci traduit une vrai *épiphanisation* des

sens, et de la jouissance qu'ils peuvent pro-
curer. Le corps n'étant plus simple instru-
ment à seule valeur d'usage en vue de la
domination de la terre, mais il vaut pour lui-
même. Il est valorisé en tant que tel. Au travers de ces trois paramètres : le corps que
l'on pare, que l'on soigne, que l'on construit,
l'accent est mis moins sur la domination (de
soi, du monde), conception ascétique ayant
marqué la modernité, que sur une forme de
jouissance du monde, et d'accordance à lui.
Plus que ce qui *devrait être* c'est ce qui est
ainsi qui tend à prévaloir. *Ainsité* des philo-
sophies extrême-orientales valorisant la réalité telle qu'elle est. Et, également, la nature
telle qu'elle est.

Car ce qui est en jeu dans l'esprit du temps
de l'époque, ce dont le corporéisme est l'indice le plus net, le vrai corps taraudant l'inconscient collectif c'est la nature. Cette
nature *semper juvenescens,* qui toujours rajeu-
nit un monde que la modernité s'est
employée, avec constance, à dévaster. Ce qui
implique que contre un *progressisme* légitimité par une science s'élaborant à partir de
l'accumulation de vérités immuables :
dogmes, scientisme, rationalisme, on sache
mettre en œuvre une démarche *progressive,*

celle d'une science plus ouverte, science issue d'une suite de secousses, de ruptures, de points de fuite. Science comprenant que le mouvement de l'esprit, car il s'agit bien d'un mouvement, ne doit pas se perdre dans la lettre du savoir. Et qu'au *pouvoir* doit s'opposer la *puissance*. À la *libido dominandi* la *libido sciendi*. Une érotique de la pensée.

Cette puissance matricielle trouve son origine dans le corps naturel : la mère nature. Encore faut-il accepter de retourner à notre nature animale ; qu'on sache y puiser de quoi nourrir les rêves, fondement de tout vivre-ensemble. Là encore la mystique base du politique.

Dans le *nomos* de la terre, ce qui assure l'équilibre et l'harmonie, fussent-ils conflictuels, de toute société, Carl Schmitt rappelle que la terre est « mère du droit[3] ». Certes, l'interprétation qu'il en donne est spécifique, mais on peut lui donner un sens plus général : ce qui fait de la nature la mesure interne et fondatrice de toutes les choses humaines. Alors que

---

[3]. C. Schmitt, *Le Nomos de la terre*, Gallimard, 1999, p. 47.

le sujet individuel est changeant, fluctuant, toujours provisoire, la nature comme corps est un édifice collectif qui, lui, est perdurant. Ce corps naturel comme édifice collectif est enchevêtrement d'éléments, de manières d'être, de s'organiser qui se sont *imprimés* dans les corps individuels tout au long des millénaires. C'est cela la culture, c'est l'*habitus* selon saint Thomas d'Aquin. C'est ce qui a habitué l'animal humain au biotope qui est le sien. C'est un tel ajustement à la nature que, sur la longue durée, la tradition occidentale a tenté d'éradiquer. Et ce en contrôlant les élans, en curialisant les instincts, en domestiquant les énergies animales. En bref, en élaborant une vie réglementée.

Avec la postmodernité, c'est cette civilisation domestiquée, sécurisée qui touche à sa fin. Une époque s'achève. Et la sensibilité, je dis bien sensibilité[4], écologique en est l'indice (index) le plus net. Elle témoigne d'une acceptation de l'animalité en l'espèce humaine. Reconnaissance de l'humus dans l'humain. Reviviscence des racines dans les manières d'être-ensemble. Toutes choses

---

[4]. *Cf.* M. MAFFESOLI, *Matrimonium. Petit traité d'écosophie*, CNRS Éditions, 2010.

pouvant se résumer dans cette *invagina-tion* dont on n'a pas fini d'apprécier les conséquences.

Un excursus grammatical pourrait assurer le fondement théorique d'un tel changement. Réflexion sur l'être. On a pu faire remarquer que ce qui fit la spécificité (et la performati-vité) de la tradition occidentale, c'est quand le verbe « être », *infinitif*, est devenu *nominal*. C'est-à-dire quand *l'être*, comme entité vague, englobante, matricielle, va désigner quelque chose. Par exemple la déité vague et plurielle devient Dieu unique. C'est sur ce glissement que va se fonder la science et, donc, l'action sur la nature.

Heidegger rappelle que l'être est avant tout infini, « abréviation de *modus infinitivus*, c'est-à-dire le mode de l'illimité, de l'indéter-miné[5] ». Cet illimité revient sur le devant de la scène sociale. La mère nature lui servant d'écrin. Illimité dans le refus d'une identité précise, l'individu indivisible se muant en une personne plurielle. Illimité dans le pacte émotionnel prenant la place du contrat

---

[5]. M. Heidegger, *Grammaire et étymologie du mot « être »*, Seuil, 2005, p. 33.

rationnel. En chacun de ces cas c'est une entité vague et vaste qui prévaut. C'est la dynamique prenant le pas sur la statique. En tout cas rien qui puisse se réduire en sèches statistiques, en classes sociales ou en catégories socioprofessionnelles (CSP) dont sont friands sondages et enquêtes *quantophréniques* diverses.

Auguste Comte, ce fou génial, fondateur de la sociologie, souligne la dimension dynamique de ce qu'il nomme le « Grand Être ». Ce dernier « n'est pas plus immobile qu'absolu ; sa nature relative le rend éminemment développable : en un mot il est le plus vivant des êtres communs. Il s'étend et se compose de plus en plus par la *succession continue* des générations humaines[6] ».

Belle présentation d'une force toujours en mouvement, relative et dynamique à loisir. Force étant la condition de possibilité de ce qui peut, par après, et éventuellement, s'institutionnaliser. Creuset matriciel dont il n'est pas anodin que Comte le féminise. La religion de l'humanité, sous-titre de son *Système*

---

[6]. A. COMTE, *Système de politique positive* (1851), Mouton, 1970, t. 1, p. 335.

de politique positive, étant bien typifiée par la femme, ainsi cette « angélique interlocutrice » que sera Clotilde de Vaux.

P. Tacussel, un bon connaisseur de ce fondateur de la sociologie, rappelle l'importance de cette « féminité sacerdotale », de ce « sexe affectif » ayant réussi, secrètement, à contenir les ravages moraux dont l'Occident s'est fait une spécialité[7]. Peu importe les termes, chaque véritable penseur est bien obligé de créer les siens, censés apporter précision et justesse dans le déroulement de son chemin de pensée.

En fait, une telle réflexion sur la *féminité sacerdotale* est prémonitoire du rôle que vont jouer les sentiments dans l'élaboration du lien social. Remarque qui n'était peut-être pas en congruence avec l'esprit du temps du siècle XIX, tout à sa logique de domination masculine, mais en parfaite pertinence avec le retour des affects, je le dirai plus loin, l'*ordo amoris* se mettant en place. Mais soyons clair, le corporéisme, la matrice naturelle, l'importance des sentiments, en bref

---

[7]. P. TACUSSEL, Postface, in A. COMTE, *Calendrier positiviste*, Fata Morgana, 1993, p. 41.

l'*invagination*, tout cela n'a rien à voir avec la sensiblerie. Bien au contraire. Le refus de l'apparence est le déni du tragique de l'existence. Alors que les époques où il y a efflorescence vestimentaire, jeu des apparences, où la mode revient à l'ordre du jour, sont des époques où s'affiche le sens de la finitude. Autre manière de dire le tragique.

L'intensité du moment, l'exacerbation du corps et de la parure, la force vive des sentiments, voilà autant de manifestations d'une éternité, très instantanée, dont il convient de jouir quand elle se présente. La *mise en présence* qu'est la « cosmétique » n'a pas d'autre fonction. Si l'on habille son corps, si on le soigne, si on le « muscule », c'est bien parce que l'on sait, d'un savoir incorporé, qu'il est toujours et déjà obsolète, voué à la déchéance. D'où le fait d'accentuer son aspect baroque qui est une forme de cruauté! L'exacerbation baroque du corps animal est on ne peut plus visible dans la théâtralité urbaine offrant une synthèse d'une beauté où vie et mort mêlées soulignent la conscience aiguë de la fuite du temps. Pour ne prendre qu'un exemple entre mille, le succès des vêtements en imitation de la peau de panthère est instructif.

Panthère, *pan therion* en grec, la bête absolue.
Symbole de Dionysos dont elle tire le char,
elle représente par ses taches la bigarrure du
monde, la polysémie même de la vie. Le
mixte inextricable d'Éros et de Thanatos que
toute la modernité s'était employée à dévier.
Voilà bien ce qui est en jeu dans le retour du
corps. Au-delà du puritanisme : jansénisme,
protestantisme, et autre forme d'augusti-
nisme, l'*invagination du sens* témoigne d'une
sorte d'ensauvagement, de baroquisation du
monde. Monde donnant à l'irrégularité la
place qui lui revient.

L'instinct nomade

Chaque époque ne rêve pas seulement la pro-
chaine, mais en la rêvant elle s'efforce de
s'éveiller.

Walter Benjamin

Parmi les archaïsmes revenant avec force
dans la vie sociale il y a, bien sûr, les tribus,
et, ce qui va de pair, l'instinct nomade.

Si on accorde à ce terme son sens fort, il s'agit
là d'un rêve tout à la fois individuel et collectif. Son sens fort, dis-je, car l'onirique est
lourd de conséquences. Il est le fruit d'un lent
travail de sédimentation qui, tout d'un coup,
rend évident ce à quoi il aspire. Lent travail
d'une action souterraine qu'il est fréquent de
dénier mais dont il est, à un moment donné,
difficile de ne pas voir les effets. Il est, d'ailleurs, de bonne guerre de savoir intégrer le
rêve afin qu'il ne nous submerge pas ou,
pire, qu'il s'achève en cauchemar. La sagesse
des nations *sait* (les contes, légendes, mythes
en témoignent) qu'il transporte un flot
d'énergie qu'il est nécessaire de canaliser. En
tout cas, c'est en le prenant au sérieux qu'il

est possible de descendre dans l'intimité des choses. N'est-ce point l'injonction du poète : « Inspecter l'invisible et entendre l'inouï » (Rimbaud) ?

Une perle grossit en enrobant un grain de sable. Ainsi l'imaginaire d'une époque, à partir d'une idée initiale croît avec cohérence, lenteur, répétition. Celle qui, en secret, depuis la fin du siècle XIX, a mûri avec constance est le retour d'une sorte de « démonisme ». D'abord ce furent les poètes, artistes, penseurs qui étaient taraudés par leur *daïmon*. Puis, peu à peu, cette tempête de l'âme est devenue une caractéristique de l'inconscient collectif.

Mais un tel tsunami ne doit pas inquiéter. À l'image de Dionysos déchiré, démembré et toujours renaissant, les institutions politiques, les grands mythes sociaux peuvent mourir, ce qui n'empêche que les cultures puissent connaître une véritable *palingénésie*, une totale renaissance. C'est, certainement, ce qui est en jeu dans le nomadisme postmoderne. L'esprit du temps est travaillé par le *daïmon* de l'ailleurs ou, pour reprendre la belle expression de Durkheim, la *soif de l'infini*.

Reconnaissons, tout d'abord, que lorsqu'on observe sur la longue durée les histoires humaines, on remarque un régulier balancement entre des périodes à dominante *statique*, et d'autres où prévaut la *dynamique*. L'institué est la marque des premières. Institutions sociales stables, États-nations bien délimités, idéologies bien circonscrites dans ce que le philosophe Jean-François Lyotard a nommé *grands récits de référence* et, du début à la fin, l'individu indivisible à l'identité typée et intangible. Individu ayant un genre sexuel, une idéologie sûre d'elle-même, une profession assurée sur la longue durée. Un tel « institué » pourrait être la traduction sociologique de l'école grecque éléatique et de la proposition de Parménide : un être un, continu et éternel. Je dis traduction sociologique, car c'est ainsi, je l'ai rappelé, qu'Auguste Comte définissait la société du siècle XIX : *reductio ad unum*.

À cela on peut opposer des époques à dominante « instituante » où va prédominer le *devenir*. Fragmentation des institutions sociales (métaphore du *Temps des tribus*), l'État-nation travaillé par les divers localismes : importance des régions, recrudescence des mégapoles, le *pays* se réduisant au canton, fin de ces récits de référence et babélisation galopante, autant de tribus autant de petites idéologies portatives et, transversalement, l'éclatement de l'individu en personne plurielle. Personne androgynique, ayant un patchwork d'opinions et vivant un *turn over* professionnel. En fait, plusieurs vies dans une seule vie. Cet « instituant », ce devenir permanent pourrait être comme l'écho de l'école ionienne. Ainsi Héraclite d'Éphèse, « *panta rei* », tout coule, tout s'écoule. La réalité étant la conjonction conflictuelle d'éléments contraires. Une harmonie reposant sur le maintien de la tension et non sur la résolution de celle-ci. Polythéisme des valeurs, polyculturalisme, relativisme absolu qui ont été au fondement de grandes cultures et dont il est bien difficile de nier l'actualité.

Il existe une dialogie, un va-et-vient, entre ces deux paradigmes. Et, par un simple processus de compensation, à l'hégémonie de l'un tend à succéder la prévalence de l'autre. Chacun ayant des réalisations culturelles d'importance. Ainsi, ce que l'on tend à oublier, les civilisations *dynamiques*, où le devenir prévaut, ne sont pas, simplement, des périodes d'anarchie mais, au contraire, des moments de renouvellement de ce qui était sclérosé.

À titre illustratif on peut donner un exemple mythologique, un autre ethnologique et, enfin, un dernier historique.

Le mythe de Thèbes en Boétie, prototype de la cité. Fondée par Cadmos. Lorsque le mythe commence, elle est gérée par l'un des petits-fils du fondateur, Penthée. C'est un sage gestionnaire. Le technocrate du moment ayant évacué tous désordre et dysfonctionnement. Or cette ville rationalisée à souhait meurt d'atonie. Elle a payé le fait de ne plus mourir de faim par celui de mourir d'ennui. Elle est inanimée. *Stricto sensu* elle n'a plus d'âme. C'est alors que les femmes de la cité, conduites par Agavé, la mère du sage gestionnaire, vont chercher l'autre petit-fils du fondateur, Dionysos. Celui-ci est le métèque absolu. Il est en Thessalie, de l'autre côté de la mer Égée. Il est oriental, donc étranger à la cité. De plus il est ambigu sexuellement. Il est, souvent, représenté comme ayant une double face. D'un côté le grand gaillard barbu, et de l'autre l'adolescent androgyne. Enfin, par opposition aux divinités *ouraniennes*, tournées vers le ciel, c'est un dieu chtonien, enraciné.

Une divinité arbustive. Donc étranger, étrange en sa totalité. Les femmes l'introduisent donc dans la cité. Ce sont les fameuses dionysies. Du désordre ritualisé. De la violence canalisée. Le sang coule *a minima*. Penthée est mis à mort, et c'est tout. Et grâce à une telle *homéopathisation* de l'agressivité, la ville est à nouveau animée. Elle retrouve son âme. Le mythe indique bien que le désir de l'ailleurs, la soif de l'infini, l'ajustement à l'étrange sont cela même qui assurent à la cité un fondement stable. Paradoxe : le devenir est garant de l'être. L'Instituant fonde l'institué.

C'est Durkheim qui peut nous fournir l'exemple anthropologique[1]. Ainsi lorsqu'il analyse les fêtes *corrobori* des tribus australiennes. Celles-ci sont réparties sur l'ensemble du territoire, vaquent à leurs occupations jusqu'à ce qu'elles ressentent, mystérieusement, le besoin de se rassembler. Durkheim dit qu'elles se « mettent en état de congrégation ». Ce sont les fêtes dont il a été question.

Celles-ci sont l'occasion d'*effervescences* multiples. Concept important sous la plume du

---

[1]. *Cf.* E. DURKHEIM, *Les formes élémentaires de la vie religieuse*, CNRS Éditions, 2008.

sociologue. Promiscuités sexuelles, violences diverses, mais toujours ritualisées, prises collectives de produits illicites en temps normal, et autres pratiques anomiques, qui sont hors la loi, au-delà de la loi. L'*anomie* est un concept de base dans la théorie de Durkheim. Et, montre-t-il, c'est grâce et par cette anomie que « la communauté conforte le sentiment d'elle-même ». Phrase admirable rappelant que la loi est tributaire des mœurs. Et que c'est dans la vacance des valeurs établies que se fonde, tout simplement, l'être-ensemble. Qu'il existe un va-et-vient fondateur entre l'anomique et le canonique. Par après les tribus se « dispatchent », à nouveau, sur l'ensemble du territoire afin de vaquer à leurs occupations quotidiennes. Jusqu'à ce qu'elles éprouvent le besoin de se rassembler pour recommencer de telles fêtes anomiques. Un peu comme l'on recharge en énergie des batteries qui l'auraient perdue. L'intensité du désordre ritualisé permettant, sur la longue durée, la stabilité de l'ordre institué.

L'histoire, enfin, rappelle ce rapport fécond entre le statique et la dynamique. Ainsi le Moyen Âge (loin d'être cette époque obscurantiste que l'on se plaît, parfois, à décrire) est un moment de grande intensité culturelle, philosophique, architecturale. Le Moyen Âge est un espace sans limite. Ou, à tout le moins, un espace européen aux limites incertaines. Dans tous les domaines les frontières sont floues.

Le « blanc manteau des cathédrales » s'étend sur cette Europe en son entier. Les idées circulent on ne peut plus. Le réseau des universités en témoigne. Et il est un titre des professeurs français, reliquat de cette époque, qui est instructif : « professeur des Universités ». Non point de telle ou telle, ici ou là, mais bien de l'*Universitas* en tant que réseau des savoirs. Circulation des biens, également. Et à partir de quelques *cités-mondes*, la diffusion du commerce est corrélative de la diffusion de la culture. Il ne faut pas oublier la circulation des conflits ou des maladies pouvant être considérée comme la part obscure de l'échange civilisationnel.

Voilà brièvement indiquée, une illustration historique du paradigme dynamique, d'une époque en devenir, propre au *zoon politicon*, à l'homme animal vivant en société, c'est-à-dire en échange permanent, en interaction constante, en *commerce*. Certaines expressions

traduisent bien cette structure anthropologique qu'est la circulation : commerce des
biens, celui auquel on fait habituellement
référence, mais également *commerce des idées*
ou *commerce amoureux*, montrant bien que
l'échange est holistique en ce qu'il intègre les
multiples aspects de l'expérience sociétale.
Dans de nombreuses villes, ces *places du
commerce* marquent l'importance de l'échange,
à l'intérieur d'une contrée mais, également,
avec les autres parts du monde connu et
inconnu. Il en est de même pour tous ces
Café du commerce où l'on discute, drague,
échange des informations, et où les affaires,
formellement, se scellent. En somme, tout ce
qui caractérise l'ordre symbolique, vrai
ciment de tout être-ensemble.

Voilà le fondement mythico-historique du
nomadisme, sa fonction civilisatrice. Ce qui
fait qu'au-delà d'une logique de l'enfermement dans la « forteresse de son esprit » (Descartes), dans le « château de la conscience »
(M. Foucault), il y a, régulièrement, le retour
des pulsions sauvages qui, paradoxalement
mais fort simplement, rappellent que l'on
n'existe qu'en fonction de et par l'autre.
D'abord en relation.

Je rappelle qu'un tel *relationnisme* structurel est au fondement même du « catéchisme » d'Auguste Comte pour qui « nous sommes les membres les uns des autres », et que c'est une telle dépendance, avec toutes les contraintes qui sont les siennes qui, autant que possible, fait « prévaloir les instincts sympathiques sur les impulsions égoïstes, la sociabilité sur la personnalité[2] ». Telle est la logique secrète de ce qui pousse à sortir de soi. Ou, pour le dire d'une manière plus familière, et en empruntant cette image au langage juvénile, ce qui incite à « s'éclater ». De nombreuses études ont montré en quoi et comment tout est bon pour ce faire. Tous les grands *afoulements* musicaux, sportifs, religieux ne sont que les moments paroxystiques de cet instinct d'agrégation, de ces « lois d'imitation », fondement même de toute vie sociale.

Il se trouve qu'après avoir été, durant toute la modernité, bridée par l'enfermement dans l'identité individuelle et claquemurée derrière *le mur de la vie privée*, cette pulsion nomade retrouve une force renouvelée dans

---

[2]. A. Comte, *Système de philosophie positive, op. cit.*, p. 91.

la postmodernité. Ainsi, développement aidant (par exemple la *navigation* sur Internet) cet archaïsme, je veux dire cet archétype, est un élément de plus en plus important de la vie sociale.

Je ne reviens pas sur la fragmentation de l'identité individuelle en identifications multiples. La pluralisation de la personne est le cœur battant du phénomène tribal. Suivant les tribus auxquelles l'on participe, on revêtira le masque adéquat et on jouera, en conséquence, le rôle attendu. De même, le nomadisme sexuel s'impose. *L'ombre de Dionysos* plane sur les mégapoles postmodernes. Dans celles-ci, quelle que soit l'étiquette dont on les affuble : célibataire, *single*, *solo*, leur nombre ne cesse de croître. Ce qui ne veut nullement dire que cela soit synonyme de chasteté. Solitaire, mais pas isolé. La règle du nomade sexuel étant la compulsion du carnet d'adresses : ce soir où et avec qui ?

Étant entendu qu'une telle compulsion est confortée, de plus en plus, par les réseaux de rencontre qu'il n'est pas possible d'énumérer tant leur nomenclature est fournie. Tous les goûts sexuels y ont droit de cité. Ce *nouveau monde amoureux* que l'utopiste Charles Fourier avait imaginé, Internet le réalise. Pour ne prendre qu'un exemple entre mille : le « gratte talon ». Tel jeune homme de vingt ans ne jouit que s'il gratte le talon d'une honorable dame de soixante. Il faut donc trouver, dans le phalanstère, la dame de soixante ans qui... D'où l'élaboration d'une combinatoire mathématique permettant de ce faire. Grâce aux sites de rencontre, c'est suite à un simple clic que le « gratte talon » va, c'est le cas de le dire, trouver chaussure à son pied. Cas caricatural du nomadisme sexuel. En forçant le trait la caricature permet de faire ressortir, en majeur, ce qui est vécu, en mineur, dans la banalité de la vie quotidienne. La multiplication des *boîtes* échangistes, le succès de ces hauts lieux de l'orgie, tel le cap d'Agde, qualifié de Mecque du libertinage européen, sans oublier toutes les capitales du tourisme sexuel, tout cela souligne que la gestion du sexe dans le cadre de l'enfermement conjugal a fait son temps.

Sans que cela soit directement lié, quoique l'on sache bien que la valeur des vacances entraîne, souvent, la vacance des valeurs, il est une forme de nomadisme non moins remarquable : le tourisme.

Le « tour » fut d'abord réservé à une élite. Par exemple ouvrière. Ainsi, après son apprentissage, le compagnon, ayant réalisé son chef-d'œuvre, se devait de faire un « tour de France ». Nomadisme initiatique avant que de pouvoir s'établir. Et il est possible qu'un tel compagnonnage symbolique subsiste, quoique l'on n'en ait pas conscience, dans nos équipes du *Tour de France* cycliste. Peut-être même dans l'expression des « compagnons de route » par laquelle le Parti communiste qualifiait les « imbéciles utiles », en bref les intellectuels qu'il savait, justement, manipuler. Par après, au siècle XIX, c'est une autre initiation qui va prévaloir pour une caste d'artistes, de jeunes nobles ou de romanciers. Le « tour d'Italie » permet de se frotter aux grandes œuvres de la culture humaniste : musées, églises, ruines célèbres et, par là, d'assurer les fondements d'une stabilisation future. En écho à l'injonction des poètes de la Renaissance : « Heureux qui comme Ulysse a fait un beau voyage... », ces jeunes curieux se faisaient une culture partie prenante d'un capital qu'ils sauraient, par après, exploiter.

Rapidement ce « tour » devient tourisme. Villes d'eau et villégiatures balnéaires aidant, la culture passe au second plan, et prévaut le simple plaisir du *far niente*. Le tourisme de masse en est la conséquence qui est même devenue « industrie touristique ». Ainsi, à date fixe, telles les instinctives migrations avicoles, on voit, avec le beau temps, de lentes processions de voitures qui, pare-choc contre pare-choc, s'engouffrent dans des sillons autoroutiers afin de garnir les plages surpeuplées des principales stations balnéaires répertoriées. Là, huile solaire aidant, nos animaux-humains estivaux vont coller les uns aux autres en une joyeuse ambiance festive avant de repartir, pare-choc contre pare-choc, dans une migration de retour. Certains (mais y a-t-il une différence de nature?), afin de ne pas « bronzer idiot », vont faire du tourisme culturel. La prolifération des festivals de tous ordres en fait foi, là encore la pulsion du départ a frappé. Palavas-les-Flots ou Avignon diffèrent quant au goût de ceux qui s'y rendent, mais ne sont que des ponctuations d'une identique homologie structurelle: bouger, sortir de chez soi, s'éclater, participer à une circulation sociétale.

Cette circulation peut, également, être religieuse. Élément intéressant du nomadisme postmoderne : la reviviscence des pèlerinages. Il vaudrait mieux dire de l'idée de pèlerinage. En effet, et l'exemple de Saint-Jacques-de-Compostelle est, à cet égard, éclairant, le but religieux est tout à fait second par rapport à la marche elle-même. L'on sait, ainsi, si l'on prend ce dernier exemple, que le pourcentage de chrétiens est infime dans la masse de tous ceux qui empruntent *El Camino*. L'idée de pèlerinage est celle de la mise en chemin. De la reconnaissance de cette caractéristique d'*homo viator* qui est celle de toute existence humaine. Et les lieux de pèlerinage, chrétiens, hindous, bouddhistes, celtes, shamaniques, ne sont que les stations particulières d'une structure anthropologique plus générale. Il s'agit de ce mouvement qui, au-delà de l'enfermement dans le petit soi individuel, caractéristique de la modernité, pousse tout un chacun vers un Soi plus vaste, celui d'une religiosité plus diffuse où, à partir de morceaux de systèmes déconstruits, on se bricole un *vade mecum* permettant, tant bien que mal, de s'orienter dans le dédale de l'existence.

En effet, le nomadisme religieux va de pair avec le syncrétisme. Avec un relativisme dans le sens que G. Simmel donne à ce terme : relativisation des dogmes par trop rigides, et mise en relation des cultures diverses.

C'est ainsi que dans ce que je viens de nommer *religiosité*, on voit s'ajuster un peu de zen, de bouddhisme tibétain, de candomblé brésilien et autre yoga tantrique. Les techniques du *New Age* contemporain sont fondées sur un tel syncrétisme. Nomadisme religieux, que je n'indique que pour mémoire, mais dont on peut mesurer l'importance au succès des journaux ou revues exploitant cette « soif de l'infini » et du cheminement qu'elle suscite.

Le nomadisme, sous ses diverses formes, est à coup sûr une des caractéristiques essentielles des sociétés contemporaines[3]. Et il y aurait lieu de comparer une telle démarche postmoderne à celle poussant sur les chemins du monde, croisés, pèlerins et autres fanatiques de l'absolu lors de la prémodernité. Dans l'un et dans l'autre cas, il s'agit d'*orienter*, de *réorienter* sa vie. L'Occident

[3]. Je me suis expliqué de ce phénomène dans mon livre *Du nomadisme*, Le Livre de Poche, 1996. Sur le « relativisme » chez Simmel, je renvoie au livre de P. WATIER, *Georg Simmel*, Circé, 2000.

rationaliste ayant donné tout ce qu'il pouvait, on observe la recherche diffuse d'« Orients mythiques » où le *non-soi*, le *plus qu'un* (G. Simondon) jouent un rôle majeur. On peut définir une civilisation par la manière qu'elle a de se confronter à l'altérité. La modernité a réduit l'autre au même. On peut dire que dans le nomadisme postmoderne, l'autre est respecté ou maintenu, en tant que tel. L'autre de la nature, l'autre du sacré sont autant d'appels à un au-delà, à la sortie du soi individuel, à son éclatement. C'est cela la mise en chemin des pèlerinages postmodernes.

J'ai indiqué la dialogie, le va-et-vient allant de la dynamique au statique, et vice-versa. Voilà bien le paradoxe du nomadisme contemporain que l'on peut résumer au travers d'un oxymore : enracinement dynamique. Par là se dit le rythme de la vie à partir d'un point fixe. Le fleuve où tout coule ne se comprend que parce qu'il y a, quelque part, une source. Il est, dès lors, intéressant de noter comment les produits ethniques vont se diffuser à l'occasion de toutes les fêtes : ramadan musulman, pessah juive, nouvel an chinois, noël chrétien ponctuant l'année civile. Il en est de même des racines bretonnes s'affichant dans la « limonade Morgana » ou dans le « Breizh Cola ». Pareil dans le « Corsica Cola » ou autre « Cagole », cette bière de Marseille.

On pourrait multiplier, à loisir, les exemples en ce sens. Retenons, simplement, l'idée que ces fêtes et ces produits de l'ailleurs, tout un chacun peut y participer. On entre dans la fête de l'autre et on consomme son produit. Et par là on entre dans le circuit de la circulation, du *commerce*, au sens plénier du terme. Les produits et fêtes rétro-ethniques rappellent ce que j'ai nommé le « désir de l'ailleurs », forme ultime du nomadisme. Là encore, le sage Comte : « Tout est relatif, voilà la seule chose absolue[4]. » Si on comprend cela : le relatif permet la mise en relation. Voilà bien l'essentiel instinct postmoderne.

---

[4]. A. COMTE, *Système de philosophie positive, op. cit.*, p. 198.

Archaïsmes et technologie

> J'ai suivi à la trace les origines. Alors je
> devins étranger à toutes les vénérations. Tout
> se fit étranger autour de moi... Mais cela
> même, au fond de moi, qui peut rêvérer, a
> surgi en secret. Alors s'est mis à croître l'ar-
> bre à l'ombre duquel j'ai site, l'arbre de
> l'avenir.
>
> Nietzsche.

Cette curieuse, mystérieuse mais non moins
réelle synchronicité entre les origines et
l'avenir, dont nous parle Nietzsche, est, à
coup sûr, une des caractéristiques les plus
remarquables de la postmodernité. D'où
l'oxymore : *enracinement dynamique*. Mais, les
routines philosophiques encrassant les
esprits, on a du mal à admettre que le mythe
du progrès, et le progressisme lui servant de
support théorique, puisse laisser la place à
un autre rapport à la nature : la *progressivité*.
Qui n'est pas régression mais *ingression*. On
entre *dans* ce monde-ci. On participe, ainsi
que le proposait déjà Baudelaire, aux multiples correspondances propres au « grand
temple de la nature ».

Après tout, n'est-ce pas sagesse immémoriale que d'admettre qu'à mesure que quelque chose s'efface, quelque autre chose paraisse? Voilà ce qu'est la progressivité. Elle ne se contente pas d'expliquer ce que nous sommes et le monde dans lequel nous vivons. Expliquer (*ex-plicare*) c'est enlever les plis constituant la conscience individuelle et l'inconscient collectif. Non, la progressivité *implique* les strates constituant tout un chacun et toutes les sédimentations faisant la culture populaire. Et les divers mots clefs que j'ai, depuis quelques décennies, proposés à la réflexion : proxémie, quotidien, enracinement, tribalisme, nomadisme et, dernièrement, « invagination », entendent rendre attentif à la réalité vécue, au jour le jour, d'une telle implication. Il y a dans tous ces termes, au-delà de nos *fictions* théoriques, quelque chose renvoyant à l'affleurement de l'archaïsme.

Faut-il le rappeler? À l'encontre de l'usage habituel de ce terme, *archaïque* est ce qui est ancien, premier, fondamental. Ce n'est nullement périmé mais est, là, au fondement du vivre-ensemble. En géologie il y a affleurement quand un site ou une roche servant de sous-sol fait surface. Il en est de même en « géosociologie ». Au-delà de nos évidences intellectuelles, il convient de constater qu'affleurent des modes de penser, des manières d'être, des pratiques corporelles que le gentil progressisme avait cru dépasser. « L'arbre à l'ombre duquel » Nietzsche « a site » n'est plus le simple arbre de la connaissance cartésien. Il conjugue origine et avenir. Le site géologique affleurant rappelle que toute construction a besoin d'assises, et que le construit social n'y échappe point. Il n'est tel que parce qu'il existe un *donné* qu'il est vain de négliger. Vain car ce *donné*, de plus en plus, se rappelle à notre bon souvenir. Vain de le dénier car, paradoxalement, il emprunte ces canaux que l'on croyait n'être que ceux du progrès : la technologie. J'y reviendrai, mais lorsqu'il est question de *site* de nos jours, c'est bien à Internet que l'on se réfère !

Petit retour en arrière afin de rafraîchir une mémoire parfois bien courte et, en tout cas, fort sélective. En des domaines divers et en ayant des objectifs forts différents un sociologue comme Max Weber ou un historien des sciences comme Thomas Kuhn ont pu montrer l'étroit rapport existant entre le rationalisme et le développement scientifique, puis technologique. J'ajoute rationalisme en tant qu'exacerbation ou systématisation de la rationalité, évacuant tous les autres paramètres humains de la sphère publique.

Dans un livre classique établissant un étroit rapport entre le protestantisme et le capitalisme, réfléchissant à l'émergence de la modernité, Weber parle de « rationalisation généralisée de l'existence ». C'est celle-ci qui aboutit au fameux *désenchantement du monde.* Lequel n'est que la cause et l'effet d'une existence où toute irrégularité aura été bannie, où le naturel aura, définitivement, laissé la place à l'artifice, en bref une vie sociale complètement aseptisée par la « violence totalitaire » d'une technocratie purement rationnelle. De son côté, Kuhn rappelle que c'est en empruntant la *via recta* de la raison que l'Occident, par opposition à d'autres traditions culturelles, va droit au but : celui du développement scientifique ayant pour conséquence le déploiement technologique que l'on sait[1]. Pour ce

---

[1]. Pour mémoire, M. WEBER, *L'Éthique protestante et l'esprit du capitalisme* (1905), Plon, 1965, et T. KUHN, *La Structure des révolutions scientifiques* (1962), Champs/ Flammarion, 1983. Sur M. Weber, *cf.* P. WATIER, *La Sociologie compréhensive*, Circé, 2002.

faire, cela mérite d'être noté, cette marche forcée vers le progrès va, afin de s'alléger, abandonner toute une série de bagages inutiles : ces *impedimenta* que sont l'onirique, le ludique, le festif. C'est un tel abandon qui assurera la perfomativité de la civilisation occidentale et son triomphe à la fin du siècle XIX, sur toutes les autres.

Il s'agit là de deux analyses paradigmatiques. Mais il y en a bien d'autres en ce sens permettant de comprendre, tout au long du siècle XX, le triomphe planétaire de la technique, voire la technicisation du monde. Celles-ci ne sont plus simples à-côtés, serviteurs dociles que l'on peut convoquer lorsque le besoin s'en fait ressentir, mais du coup révocables à merci. Ce sont devenus des maîtres dominant, sans coup férir, l'ensemble de l'existence quotidienne.

À l'image du Golem de la Kabbale juive, qui échappant à l'emprise de son créateur, saccagea tout autour de lui, les objets techniques vont subordonner à leurs pouvoirs tous les moments de l'existence, rien ni personne ne leur échappant. Travail et temps libre, production et consommation, éducation et sport, toutes les institutions qui, progressivement, ont constitué la société vont s'employer à mettre en ordre, à discipliner les affects, les instincts, les pulsions sous l'égide de la raison technique.

Voilà, dit fort brièvement, d'où l'on vient. Et il se trouve que l'essentiel des observateurs sociaux, fidèles à leur *background* théorique, celui des siècles XVIII et XIX, continuent à gazouiller la ritournelle du *désenchantement* et, jusqu'à plus soif, nous abreuvent d'analyses sur la morosité et sur l'aliénation inéluctables, conséquences de la mainmise technologique aux relents diaboliques. Ces ennuyeux prédicateurs qui, du haut de leurs chaires universitaires ou au travers de leurs tribunes médiatiques, s'emploient à effrayer les crédules gogos, ne se rendent pas compte que si « gazouillement » il y a c'est bien celui, en son sens étymologique, des *twitters*. De ces lieux où « ça » parle, de ces forums de discussion où pas grand-chose de sérieux ne se dit mais où l'échange s'établit. Dans ces « chats », en effet, l'important est d'établir du lien. Le contenu important peu. Le contenant étant tout. Ce qui est en jeu est bien la « reliance » : être relié (*religare* latin), être en confiance (*reliant* anglais). C'est tout cela, et bien d'autres choses encore, qui me font dire que la technologie postmoderne participe au *réenchantement du monde*.

Certes, cela peut sembler paradoxal. Et ça l'est pour partie. Mais encore une fois au-delà de nos *a priori* théoriques, on peut constater que ce qui est « en jeu », justement, c'est le retour de ce ludique que la modernité, en sa marche royale du progrès, avait marginalisé, cantonné dans la chambre d'enfants ou, à tout le moins, dans l'espace strictement privé. Le jeu donc occupe une place de choix dans la vidéo-sphère. Pour certains même l'addiction guette[2]. En tout cas, c'est une réalité dont on ne peut plus faire l'économie. Et ce ludique, structure anthropologique, c'est-à-dire structure aux racines profondes et anciennes, trouve l'aide du développement technologique. Il en est de même, d'ailleurs, de l'onirique qui n'est plus, simplement, recevable, à titre individuel, sur le divan du psychanalyste, mais qui tend à contaminer de nombreuses pratiques sociétales : révoltes, rébellions, fantasmes, fantasmagories diverses, et ce dans tous les domaines.

---

[2]. *Cf.* l'analyse du philosophe H. AZUMA, *Génération Otaku, op. cit.* D'une manière plus générale sur la culture « cyber », *cf.* S. HUGON, *Circumnavigation*, CNRS Éditions, 2010.

Voilà bien ce qui est l'enjeu d'une postmodernité dont on ne peut plus dire, simplement,
qu'elle est naissante, tant ses caractéristiques
sont évidentes dans la vie de tous les jours.
C'est, en effet, paradoxal, mais par le biais
des *video games*, par celui des *home pages*,
dans la multiplicité des *twitters*, c'est bien le
langage des oiseaux qui prévaut. Non pas
celui des « nuées » philosophiques, dont Aris-
tophane a montré l'abstraction, mais celui
des fantaisies de la vie quotidienne. C'est
bien d'un réenchantement du monde dont il
s'agit, où la réalité, peut-être vaudrait-il
mieux dire la « surréalité », dépasse la « fiction » quelque peu mortifère, ennuyeuse, et
par bien des aspects déphasée, de la théorie
rationaliste.

Il y a, en effet, du surréalisme vécu dans
l'utilisation, au quotidien, des moyens de
communication interactive. Le virtuel ayant
tout à la fois un *efficace* réel, permettant une
forme de jouissance réelle, et élaborant un
lien, établissant du liant, c'est-à-dire, en son
sens plénier, faisant société. Et ce, à partir de
deux caractéristiques essentielles de notre
espèce animale, la capacité d'imaginer et, à
partir de là, celle de rentrer en communion
avec l'autre. *Statu nascendi*. État naissant qui

est à l'œuvre dans les diverses cybercultures, contaminant, de multiples manières, la vie quotidienne de nos sociétés. C'est, en effet, en termes d'épidémiologie qu'il faut poser le problème. Tant il est vrai qu'à bas bruit, mais d'une manière obstinée, les divers médias de communication interactifs ont gagné du terrain, et se sont imposés. Tout à la fois pour ce qui concerne les services, les démarches administratives ou bureaucratiques, mais également dans tous les moments ludiques, où le rêve tend à se substituer à la réalité même.

On a pu faire remarquer qu'un des moments clés des *temps modernes* fut cette *circumnavigation* où d'audacieux explorateurs découvraient ces nouveaux mondes et élargissaient, ainsi, les habituelles perceptions, manières d'être et divers imaginaires de leurs contemporains. Des juristes à l'esprit aigu, tel Carl Schmitt, ont montré comment c'est cette errance conceptuelle qui était à l'origine du *jus publicum europaeum*. Un nouvel ordre des choses s'étant élaboré à cette occasion. Un *nomos* de la terre, c'est-à-dire une logique interne, une nouvelle rationalité du lien social se constituant au travers et grâce aux découvertes induites par la *circumnavigation* en question.

Ne peut-on pas dire que c'est quelque chose de cet ordre qui est en train de se passer à partir de la *navigation* électronique : la découverte d'un Nouveau Monde ? L'élaboration d'une culture totalement différente de celle qui avait marqué la modernité ? Ce qui ne sera pas sans influence sur les modes de vie et imaginaires sociaux. C'est bien ce que font ressortir les recherches en cours au Centre d'étude sur l'actuel et le quotidien (www.ceaq-sorbonne.org), ainsi que les diverses publications de Stéphane Hugon sur le sujet (stephane.hugon@eranos.com).

Souvenons-nous de Thomas Kuhn qui, réfléchissant sur les découvertes scientifiques et leurs conséquences technologiques, a pu montrer comment celles-ci étaient cause et effet de ce qu'il nommait un paradigme. Que l'on peut comprendre comme une *matrice* qui, en son sens strict, permet l'éclosion d'une nouvelle vie. C'est bien un nouveau paradigme qui est, de nos jours, en gestation et que l'on nomme cyberculture. L'individu, on le sait, n'est pas réductible à sa part émergée et n'existe qu'en fonction d'un substrat inconscient. Il en est de même pour la vie sociale qui, elle aussi, a ses cryptes plus ou moins labyrinthiques. Autre manière de dire l'inconscient collectif. Une racine constante de la culture occidentale est la peur panique de l'image. Cet iconoclasme, d'antique mémoire, a souvent été analysé. Mais il faut bien en saisir les éléments essentiels pour comprendre la crainte inspirée, de nos jours, par le monde *virtuel*.

En bref, rappelons la lutte des prophètes de l'Ancien Testament, contre les icônes et autres idoles faites de pierre ou de bois. Combat farouche afin d'arriver à un Dieu unique, qu'il convient d'adorer « en esprit et en vérité ». L'accent est mis sur le cerveau, le cognitif. Et la vérité que cela permet d'atteindre. L'idole, d'essence féminine (cause et effet de cultes à la « terre mère ») ne faisait pas appel à la raison, mais au ventre. Il y a quelque chose d'*hystérique* en elle. C'est l'*usterus* qui est sollicité. Qu'est-ce que le ventre, sinon le symbole des sens en leur diversité. Le ventre, en sa position centrale, est le signe de l'entièreté de l'être. Pour utiliser un nouvel oxymore, il est vecteur d'une *raison sensible,* alliant les contraires, les faisant entrer en interaction, en coïncidence.

Par la suite, un tel iconoclasme devint philosophique avec Descartes et Malebranche incitant à se méfier de cette imagination comme étant la *folle du logis*. C'est-à-dire, ne permettant pas le bon fonctionnement de la faculté rationnelle. C'est cette stigmatisation que l'on va retrouver tout au long de la modernité et qui va nourrir les diverses condamnations portées contre l'image en général, la publicité, les jeux vidéo, les jeux de rôles dont il est vain de nier, de nos jours, l'importance.

Corrélativement à l'iconoclasme, il est également important de souligner, aussi étonnant que cela puisse paraître, qu'une des racines de la peur du virtuel est la condamnation de l'onanisme. Dans le cadre général qui, on le sait, va être une des valeurs dominantes de la tradition judéo-chrétienne, la figure d'Onan est, en quelque sorte, un paroxysme. Très précisément en ce que sa jouissance est, apparemment, individuelle, inutile. Sa semence se perd dans la terre. À y regarder de plus près, la corrélation est évidente. En ce que la masturbation requiert de se raconter une histoire, de faire un scénario, bref, de visualiser des images. La *perte* de la semence dans la terre est, également, instructive en ce qu'elle se fait dans une sorte d'union cosmique. Un mariage mystique avec la terre, centre de l'union. Symbole s'il en est de la communauté humaine !

Ces remarques allusives ont pour but de rendre attentif au fait que la cyberculture est tout à la fois expression de la puissance de l'image et de la jouissance inutile. Le jeu de l'imaginaire y occupant une place de choix, et la dimension *onaniste* dans le sens que je viens d'indiquer, y étant loin d'être négligeable.

La rébellion de l'imaginaire se manifeste avec éclat, dans les jeux de rôles, les forums de discussion et les différents *blogs* et *home pages,* où la fantaisie, les fantasmes et autres fantasmagories occupent l'essentiel de l'espace et du temps. La raison, la fonctionnalité, l'utilitarisme ne sont pas absents, mais on leur attribue une portion congrue. Ou, plus exactement, par une intéressante inversion de polarité, ils vont servir d'adjuvants à un réel ludique. De maîtres, ils deviennent serviteurs. Le festif, l'imaginaire, l'onirique collectifs deviennent les normes de l'espace « cyber ». Et par là contaminent le territoire privé et la sphère publique. Dans la rationalisation généralisée de l'existence, lorsque se constitue le *contrat social,* l'on voit s'ériger ce qui fut appelé, familièrement, le « mur de la vie privée ». Sous les coups de boutoir des jeux de rôles et des blogs, ce mur, quand il n'est pas totalement mis à bas, devient pour le moins poreux.

Dans un curieux mécanisme de contamination, dont on n'a pas fini de mesurer les effets, l'espace « cyber » rejoue le rôle de la place publique, du café du commerce, ou de l'antique agora : ainsi les rumeurs, *buzz*, cancans et autres fausses et vraies nouvelles. En son sens étymologique, le *for* interne est supplanté par le *for* externe : tout devient forum, accessible à tout un chacun.

Le grand spécialiste français de l'imaginaire, Gilbert Durand, l'a indiqué : l'image est un *mésocosme* entre le microcosme personnel et le macrocosme collectif. Au sens strict, elle est un *monde du milieu*. Elle fait un lien. Elle établit une *reliance*. Il y a donc une dimension communielle dans le partage des images électroniques. Au-delà de l'enfermement individuel, elles sont cause et effet d'un véritable corps social qui n'est pas réductible à la rationalité propre à ce qu'il est convenu de nommer la *société*. Il va se diffracter dans la multiplicité des *tribus* de divers ordres, se fondant sur le partage d'un goût commun.

Tribus musicales, sportives, culturelles, sexuelles, religieuses, toutes reposent sur des images produites et vécues en commun.

Le *cogito, ergo sum* cartésien reposait sur une révolution épistémologique d'importance : le fait de penser par soi-même dans l'enfermement, dans la forteresse de l'esprit individuel. Or le contraire s'exprime sur la *toile*, où le partage des images fait que l'on est pensé par l'autre. Que l'on n'existe que par et sous le regard des autres. Ce qui n'est pas sans engendrer ce que l'on peut appeler, pour reprendre une expression de Durkheim, un « conformisme logique ». Mais celui-ci n'est pas l'expression d'un simple narcissisme. Ou alors, il convient d'infléchir le sens que l'on accorde, en général, au mot narcissisme. À l'encontre de ce que disent les interprétations habituelles de ce phénomène, Narcisse ne se perd pas dans son image, mais dans l'étang où son image se projette. La différence est d'importance en ce que cet étang symbolise la nature en son entier, le donné mondain, écrin où la personne, tout en se perdant, s'épanouit dans un ensemble plus vaste.

Un « narcissisme de groupe » ; narcissisme collectif, qui est en jeu dans tous les phénomènes de la virtualité électronique. Pour reprendre la métaphore de la semence d'Onan, certes il y a *perte*, mais celle-ci se fait dans un ensemble dépassant l'individu et participe, de ce fait, à la confortation du corps collectif. C'est bien un processus de masturbation collective auquel l'on est confronté dans les fameux *sites communautaires*. Chacun, dans l'impunité de l'anonymat, se dévoilant à l'autre. Il y a de la connexité, de la tactilité dans l'air ! Les philo - sophes du Moyen Âge s'interrogeaient sur la *glutinum mundi*. Quelle est cette *colle du monde* faisant que malgré les divers égoïsmes, « ça tient » ? Parfois cette *colle* est le fait d'un idéal lointain, ce fut le cas de la modernité. D'autres fois, au contraire, une telle *colle* s'élabore à partir du partage des affects, des émotions, de passions communes. Fussent-ils tout à fait anodins et de peu d'importance.

Voilà bien la *reliance* qui est en jeu dans tous ces sites. Le mot, d'ailleurs, n'est pas neutre. Le temps se contracte en espace. Il devient un *site* que je partage avec d'autres, et à partir duquel je peux « croître ». L'Histoire, avec un grand « H » (l'Histoire de la modernité, assurée d'elle-même) laisse la place à ces petites histoires, sans réel contenu, mais assurant le lien, permettant du liant. *Second life, Myspace, Facebook*, voilà autant de déclinaisons du jeu des images et de la dépense improductive. Tout cela ne sert à rien, mais souligne le prix des choses sans prix. Ces sites sont les formes postmodernes du *potlatch* prémoderne. Ce qui était resté, comme forme résiduelle, dans la sagesse populaire qui « sait » très bien, de savoir incorporé, que parfois qui perd gagne. Et que dans l'inutile de la « tchatche », dans le sans intérêt du blog ou du forum de discussion, voire dans l'obscénité de la *home page*, se (re)trouve la consolidation du lien social.

Quelque chose de sacramentel en quelque sorte. C'est-à-dire rendant visible une force invisible. En ce sens le virtuel des cybercultures est bien une manière d'exprimer le désir d'être-ensemble. Au travers des frémissements, du grouillement, il saisit les tremblements d'une vie en gestation. On a pu comparer ce nouveau lien spirituel à la « noosphère » du père Teilhard de Chardin. Ce rapprochement n'est pas anachronique, en ce qu'il fait bien ressortir qu'il y a dans les liens invisibles des échanges virtuels quelque chose qui, plus que la dimension

économique, plus que la quantification positiviste, plus que les infrastructures matérielles, assure une cohésion sociétale dont on
n'a pas fini de mesurer les conséquences.

Les joueurs en ligne qui, de Tokyo à Londres,
en passant par São Paulo ou Los Angeles, sans
oublier telle bourgade reculée des Hautes-
Alpes ou des Carpates, s'épuisent en des
joutes interminables, sont reliés par les liens
magiques du virtuel. Mais leur réel a une efficace bien plus forte que les *principes de réalité*
communément admis. Ne serait-ce que parce
que leur vie quotidienne est, en son sens fort,
déterminée par ces jeux qui les fascinent. Ils
sont comme aimantés par des polarités loin-
taines et invisibles. C'est bien cela la noosphère du virtuel de la cyberculture.

En un moment important pour la modernité,
l'émergence de la Réforme, Max Weber avait
rendu attentif à la force de l'immatériel. Son
livre majeur en porte témoignage : *L'Éthique
protestante et l'esprit du capitalisme*. Une certaine interprétation de la Bible, le protestantisme, engendre une nouvelle organisation
du monde : le capitalisme. Ce qu'il résume
bellement en rappelant que l'on ne peut
« comprendre le réel qu'à partir de l'irréel ».

On pourrait ajouter, ce qui est réputé tel, mais n'en a pas moins une force indéniable. Et va servir de fondement au nouvel ordre des choses.

C'est bien une telle *natura rerum* qui s'élabore sur la *toile*. Sans trop jouer sur les mots, on peut dire *en jeu* et *enjeu*. Car à partir du virtuel, le lien social est tout à la fois solide et en pointillé. C'est cette nouvelle forme que ne saisissent pas beaucoup d'observateurs sociaux qui ont quelques difficultés à comprendre, analyser ou, tout simplement, admettre une socialité dont tous les ingrédients sont cet imaginaire ludique ou onirique dont il a été question, et qui traverse, de part en part, la cyberculture.

En particulier sur un point essentiel, ce qui a trait au supposé individualisme contemporain. À ce leitmotiv, très souvent seriné, du repli sur la sphère privée. Voilà autant de lieux communs, tenant lieu d'analyses scientifiques, passant à côté du monde « cyber », où des relations se créent, des échanges s'élaborent, des partages s'opèrent, toutes choses constituant pour le meilleur et pour le pire, une nouvelle vie sociale. Pour le meilleur et pour le pire, certes, car les partages de fichiers peuvent poser question. Le *peer to peer* tourneboule les habituelles règles économiques. Mais, qu'on le veuille ou non, c'est bien un commerce qui s'établit. Commerce qu'il convient de comprendre *stricto sensu* : commerce des biens, commerce des idées, commerce amoureux. Ces anciennes expressions françaises disent bien comment à côté de la marchandisation des objets, on trouve, également, des échanges philosophiques, religieux ou affectifs sur Internet.

Certes, en ces divers domaines, le dernier en particulier, le passage à la limite est vite là. Mais n'est-ce pas le propre de tout état naissant que d'être potentiellement excessif, paroxystique, voire anomique ? Mais, selon un adage bien connu, l'anomique d'aujourd'hui est le canonique de demain. En la matière, ce qui peut choquer les valeurs morales établies n'en constitue pas moins une force éthique pour les tribus postmodernes concernées. C'est bien un immoralisme éthique que l'on retrouve dans les discussions sans fin de *Myspace*. Tout et n'importe quoi s'y raconte. C'est de l'imaginaire et de l'onanisme collectif à longueur de temps, et pourtant un idéal communautaire s'y crée. Des solidarités y trouvent leur origine. Les générosités s'y expriment avec force.

E pur si muove, disait le grand Galilée à ses détracteurs. Le dogmatique, à terme, n'y a pu mais, le géocentrisme a pris fin. C'est quelque chose de cet ordre que l'on peut dire de nos jours : *et pourtant ça vit*. Quoiqu'il soit virtuel, il y a du grouillement culturel, existentiel, social sur la *toile*. On a pu parler au Japon de « génération Otaku ». Au plus proche de son étymologie, elle est cantonnée dans la « maison ». Mais, tel un enracinement dynamique, à partir de là, ses messages, ses liens, ses relations se répandent au travers du monde pour créer des communautés tout à la fois virtuelles et réelles. Il s'agit là d'une *complexio oppositorum*, le tissage ensemble d'éléments opposés, mais complémentaires. Ces rencontres sur et à partir des sites communautaires permettent de vivre des vies multiples, des *second life*. Et ce faisant, rejouent le vagabondage, fondateur de toute vraie culture. Il suscite un *wanderlust*, une jouissance de l'errance qui est le fait des explorateurs, de tous les conquistadors, de ceux qui découvrent de nouveaux mondes.

Appel de l'inconnu ! Soif de l'infini ! Ces chevaliers postmodernes surfent sur Internet à la recherche d'un Graal qui, comme tout Graal, n'a pas de contours ou de contenu précis. Seul le chemin, seul le vagabondage, seul le fait de « surfer » est ici important.

Ainsi que j'ai indiqué plus haut, l'image et/ou l'onanisme suscite une forme de jouissance d'autant plus forte qu'elle est inutile. Peut-être est-ce d'ailleurs cela qui, sur la longue durée, les a fait stigmatiser dans la tradition judéo-chrétienne, puis moderne. Je précise que la *libido* en question n'est pas, simplement, sexuelle, mais connote d'une manière bien plus large, une énergie, une pulsion vitale, en bref un vouloir vivre irrépressible. Il s'agit là d'une sorte d'instinct ne s'embarrassant pas de raisonnements précis. C'est cela qui chagrine les observateurs sociaux ayant du mal à admettre que quelque chose puisse avoir *du* sens (signification) sans avoir *un* sens (finalité). C'est ainsi que le philosophe allemand Romano Gardini définissait l'esprit de la liturgie : *Zwecklos aber sinnvoll*.

C'est une liturgie qui se met en place dans les blogs, forums de discussion et multiples sites communautaires ponctuant la toile

électronique. Le *contenu* importe peu, seul le
contenant est nécessaire. « Contenant », c'est-
à-dire qu'il spatialise le temps. Il crée de
l'être-ensemble où le fait d'être en contact
est la réalité primordiale. Avec Internet, on
passe d'une tradition *logocentrée*, où la parole
était souveraine, à une autre tradition, bien
plus *lococentrée*, seul l'espace, seul le « site »
partagé avec d'autres prévaut.

D'où l'impression de *parler pour ne rien dire*.
En effet, l'on ne dit rien, mais ce *rien* est
essentiel, il est matriciel. Il donne à être. Et
par là même, il fait culture. Au travers des
pseudos, des rôles joués, des vraies ou
fausses *home pages*, chacun investit des
figures archétypales, et par là s'inscrit dans
la lignée, la concaténation assurant la perdurance de la communauté humaine. Ce n'est
pas pour rien que les petites tribus surfant
sur le Net utilisent les masques, noms et
habillements des chevaliers d'antan ou des
mythologies antiques. Il y a du primitivisme
dans l'air. Mais celui-ci ne fait que souligner
la force et la vigueur de ces *choses* archaïques
que l'on avait cru dépasser. Elles servent de
fondation et, de temps en temps, se rappellent au bon souvenir des humains : il n'y a
de *construit* que sur du *donné*.

Tout au début de la *Naissance de la tragédie*, Nietzsche rappelle l'importance de ce qu'il nomme les « figures incisives ». Figures emblématiques autour desquelles l'on s'agrège. Figures fondant la communauté. C'est cela même qui est à l'origine de la *culture.* Par la suite, celle-ci tend à s'étioler en *civilisation,* jusqu'à ce que, un cycle s'achevant, une nouvelle culture renaisse. Peut-être est-ce cela qui est en train de se passer avec la cyberculture. La civilisation *bourgeoisiste* moribonde laisse, sur Internet, la place au retour des figures archaïques qui soulignent que l'on assiste à un vrai réenchantement du monde. *Circumnavigation*, ai-je dit, induisant un nouvel ordre. Celui de l'immatériel, du virtuel à l'efficacité contagieuse.

Il n'est pas inutile de regarder loin en arrière pour savoir apprécier ce qui est en train d'advenir. Pour ma part, j'ai souvent dit que la postmodernité naissante pouvait se comparer à cet autre moment fondateur qu'était la fin de l'Empire romain, les IIIe et IVe siècles de notre ère. Les institutions officielles sont là, apparaissent solides, et sont pourtant déjà vermoulues de l'intérieur. Les idéologies établies sont les seuls discours autorisés, mais personne n'y prête attention. Tout a le goût insipide du déjà-vu et déjà-entendu. Et c'est ailleurs que les esprits exigeants cherchent à faire leur miel. Très précisément, au sein de ces cultes à mystères, pullulant à cette époque dans l'Empire romain finissant. Orphée, Mythra, christianisme naissant. Voilà, entre autres, les communautés où l'on ne se contente pas des incantations éculées et quelque peu mortifères. Voilà les « sites » où se vit la vraie religion. Celle s'occupant des autres, des vieux, des malades, des jeunes. Celle qui est en phase avec la vie de tous les jours. En bref, celle où l'on rentre en *reliance* avec l'altérité. C'est-à-dire avec l'autre de la proximité (le social) et avec l'autre du lointain (la déité).

Le « mystère » est ce qui unit des initiés entre eux, ceux partageant les mêmes mythes. Mais qu'est-ce qui a fait que dans la floraison de ces cultes, et alors qu'ils avaient des spécificités assez proches, seul le christianisme ait survécu ? Certes les raisons doivent en être multiples. Puis-je en privilégier une ? Comme un corps sécrétant ce qui permet sa survie, les petites sectes chrétiennes vont sécréter le dogme de la *communion des saints.* Unissant les morts aux vivants et ceux-ci entre eux.

Ainsi la communauté de Rome est-elle unie, en esprit, à celle de Lyon, de Narbonne, de Milan. Ainsi se crée, en pointillé, une union qui va donner naissance à une Église d'importance et à une culture dont toute l'Europe est issue. Grâce à cette « communion », un commerce va s'établir entre les diverses Églises locales. Échanges et partages constituant un *corpus mysticum* tirant toutes les conséquences doctrinales et organisationnelles de la reliance dont il a été question.

Revenons à ce qui est en train de se passer sous nos yeux. Même processus initiatique, mêmes échanges et partages de tous ordres. Le *peer to peer* est à l'ordre du jour en de nombreux domaines. De même, c'est par contamination électronique que se développent les phénomènes altermondialistes, la diffusion des informations, les rassemblements frivoles ou sérieux. Un terme traduit bien tout cela : *flashmob*, la mobilisation instantanée. Même dans l'ordre de la connaissance, avec les grossières erreurs et méfaits que l'on sait, Wikipédia tient le haut du pavé, symbole, s'il en est, que le savoir ne vient plus du haut, qu'il n'émane plus d'un pouvoir vertical, mais se répand à l'image

de la puissance de base, d'une manière hori-
zontale.

Ce ne sont là que quelques indices de la cyberculture naissante. Le développement technologique qui avait participé de la *démagification*
du monde et contribué à l'isolement des individus, à ce que l'on peut appeler la grégaire
solitude, s'inverse en son contraire, et contri-
bue à une nouvelle reliance : être, toujours, en
contact, en union, en communion, être *bran-
ché*. Oui, c'est bien une nouvelle culture qui
s'élabore avec Internet. Le « cyberspace » est
un lien, aux contours indéfinis, infinis, où
d'une manière matricielle, s'élabore la rencontre avec l'autre, où se conforte le corps social.
Ne peut-on pas dire, de ce fait, qu'il constitue
la *communion des saints* postmoderne ?
Archaïsme encore que peut nous aider à comprendre une autre tradition religieuse, l'hindouisme, l'utilisation des *avatars*. Je ne
reviendrai pas sur la pluralisation de la personne. J'ai déjà dit en quoi cela caractérisait
la postmodernité. Mais en ce qui concerne
l'utilisation magique de la technologie, il est
intéressant de noter les principaux éléments
de l'avatar : incarnations multiples, transformations et accidents.

Que ce soit dans les jeux électroniques, ou dans les lieux virtuels de rencontre, chacun peut « incarner » telle ou telle facette de sa personne. Revêtir tel masque et, par là, *exprimer* un fantasme qui lui est interdit dans la vie courante. Je dis bien *exprimer*. Un peu comme pour le jus d'une orange, faire sortir ce qui est là, en soi, et qu'il est vain de nier. Ce sont ces « expressions » qui permettent de comprendre les transformations vécues par une même personne. Foin de l'identité unique, celle de l'individu indivisible ! Ce sont les identifications multiples qui peuvent, en toute impunité, prévaloir. Dans la rationaliste modernité seule la fiction était autorisée à mettre en scène au sein d'un même individu, Docteur Jekyll et Mister Hyde. Et encore était-ce d'une manière criminelle.

De même la psychiatrie repérait dans la schizophrénie le dédoublement de la personnalité. Par la dissociation, la pensée de cette dernière est, *stricto sensu*, « fendue » avec tous les risques personnels et collectifs inhérents à une telle fission du noyau individuel. L'individu normal, pour la modernité, a une identité sexuelle, idéologique, professionnelle. Toute fragmentation est pathologique.

C'est certainement pour cela que la vidéo-sphère, les jeux de rôles, ou des sagas comme *World of Warcraft*, sont, avec constance, condamnés par la bien-pensance éducative. Dans le cadre de l'iconoclasme sémitique, auquel j'ai fait référence, le virtuel est toujours suspect. Il est lourd de fantasmagories immaîtrisables et donc, potentiellement, dangereuses.

Signalons une des expressions d'un tel « transformisme » : l'on sait que sur les sites de rencontre, en particulier, nombre de « pseudos » féminins masquent, en fait, un homme. Certes, il est facilement possible d'interpréter ce genre de fantasme au travers des habituelles catégories psychanalytiques et/ou moralisatrices. Mais dans le cadre de la pensée non critique propre à la sociologie compréhensive, l'homme qui devient femme est une constante mythologique, un lieu commun de toutes les mythologies. Il n'est donc pas étonnant qu'une telle transformation reprenne une vigueur nouvelle dans le cadre d'une époque où la féminisation des valeurs et des mœurs joue le rôle que l'on sait.

Ce qui nous conduit, après les incarnations, les transformations, à la troisième spécificité de l'avatar : l'accident. Le masque que l'on revêt, en effet, est momentané. Il survient en fonction de telle ou telle occasion. Il privilégie le présent, voire l'instant. Il survient en fonction de ce qui se passe dans le jeu électronique, ou des opportunités se présentant sur le lieu virtuel de rencontre. Puis-je rappeler qu'en philosophie l'« accident », à l'opposé de la substance, est contingent, relatif. C'est un tel *relativisme* qui, tel un fil rouge, parcourt toute la cyberculture. Il est ce qui tout à la fois relativise une vérité unique, une identité stable et, donc, met en relation.

Une telle mise en relation est remarquable dans la multiplication des sites communautaires. Le processus est en cours, tout en labilité. Bien malin celui qui aura la prétention d'en dresser un tableau exhaustif, ou d'en dresser les lois intangibles. Il est impossible, pour l'instant, d'en épuiser théoriquement les immenses possibilités. Tout comme cela fut le cas pour la galaxie Gutenberg en son temps, la galaxie électronique est corrélative d'une autre manière d'être-ensemble : celle de la postmodernité. Un élément, cependant, qui semble constant, est bien ce qui a trait au sentiment d'appartenance. Ce qui est en question est le retour des tribus. Celles-ci, on

le sait, sont à géométrie variable. Chaque
personne, de plus, peut participer à diverses
tribus, et ce en fonction, justement, des
masques qu'elle va revêtir. Mais ce qui est le
plus petit dénominateur commun de tous ces
lieux virtuels, c'est bien le désir de communion. Un relationnisme omniprésent. Ces
réseaux sociaux sont multiples et font florès.
Le site *Copains d'avant*, avec sa touche de
nostalgie. *Twitter* où l'on peut gazouiller à
l'aise sur tous les sujets d'actualité. Du plus
sérieux au plus frivole. *Orkut*, regroupant par
cooptation sévère les « fans » d'une célébrité,
d'une thématique, d'une passion spécifique.
Facebook, bien sûr, revendiquant deux cent
cinquante millions d'utilisateurs dans le
monde. Et tous les sites de microblogging où,
plus qu'un quart d'heure de gloire à la Andy
Warhol, chaque membre attend une sûre
renommée en rendant public qui ses chan-
sons, qui sa peinture, qui ses analyses philosophiques ou politiques.

Les sites communautaires, blogs, *orkut* et
autres *Twitter* rappellent que le réenchantement du monde est bien ancré dans la socialité postmoderne. Telles les tribus primitives
autour de leurs totems, les internautes
contemporains se rassemblent autour de

leurs idoles spécifiques. Celles-ci, à l'image de la temporalité propre à notre époque, sont tout à fait éphémères. La *hype* a ses règles intangibles : il faut toujours être à la pointe de la mode. Mais là n'est pas l'essentiel. Ce qui prévaut est la pulsion communautaire poussant à faire, à être, à penser comme l'autre et, surtout, en fonction de l'autre.

Donc tout est « relatif ». Même le savoir. Ce qui est, également, remarquable dans la techno-magie induite par le développement des moyens de communication interactive, c'est d'une part la production collective de la connaissance et, d'autre part, l'accession commune à celle-ci. Le savoir ne vient plus, simplement, du haut, suivant en cela le cheminement naturel et inhérent à la « loi du père ». Ce qui est l'héritage de la tradition sémitique, héritage culminant dans les « grands récits de référence » propres à la modernité. Mais, au contraire, ce savoir vient du bas, il est transversal.

Changement de topique affectant tous les organes officiels du savoir surplombant. Hegel disait que la lecture du journal était la « prière de l'homme moderne ». Ce qui était prophétique en son temps, s'est révélé pertinent tout au long de son siècle, le XIX, et de celui qui a suivi, le XX. Il s'agissait là d'une médiation permettant d'être connecté avec le monde en son entier : d'être en phase avec le *Zeit Geist*, l'esprit du temps qui, on s'en souvient, était absolu et universel. Mais voilà, le temps revient. Le temps se *présenti-fie*. L'esprit se particularise. Cela entraîne, également, le relativisme des certitudes scientifiques. Le journal comme prière du matin, laisse la place au *surf-riding* sur Inter-net, où l'on va picorer, ici ou là, des informa-tions plus ou moins avérées, souvent imparfaitement vérifiées, parfois totalement fausses. Dans l'Agora antique, Socrate pou-vait philosopher. À ses risques et périls. On connaît la suite. De même la pensée de la place publique tend à prévaloir sur Internet.

Le Café du commerce s'appellera « cyber-café », il y a entre eux homologie structu-relle, c'est kif-kif, le meilleur y côtoie le pire, l'admiration raisonnée va de pair avec la rumeur et la calomnie les plus éhontées. Mais c'est ainsi. L'on vit un grouillement cul-turel, et avant que la sédimentation se fasse, « ça » fourmille. Le temps fera le tri. Voilà bien le relativisme induit par Internet. Les avatars multiples, les tribus se regroupant autour de leurs totems, la fragmentation des savoirs sont autant de manifestations, pour parler comme Max Weber, d'un « polythéisme des valeurs » galopant.

On comprend mieux la définition de la postmodernité : *synergie de l'archaïque et du développement technologique.* Cette technologie qui avait désenchanté le monde est en train, curieusement, de le réenchanter. Ce qui donne, et la chose n'est pas, forcément, péjorative, un spectacle collectif aux chatoiements divers. Au Moyen Âge, les « mystères », autour desquels la communauté communiait, se jouaient devant la cathédrale. Il en est de même de nos jours. C'est dans les églises électroniques, au travers des vidéo-games, des sites, des blogs, des forums et des encyclopédies, que se jouent les « mystères » postmodernes. Mystères unissant entre eux tous ces *initiés* (sexuels, musicaux, sportifs, religieux, théoriques) formant la socialité en devenir.

Imaginaire. Imaginal

*Oh! Achab! Ce qui fait ta grandeur, il me fau-
dra l'arracher au ciel, le ramasser dans les
profondeurs de l'océan, le sculpter dans l'air
immatériel!*

H. Melville, *Moby Dick ou le Cachalot*

Une œuvre digne de ce nom est habitée par
une idée obsédante. Cette petite sonate qui,
d'une manière récurrente, ponctue une
recherche dont Proust a bien montré l'aspect
lancinant. Peut-être en est-il de même pour
une époque donnée. Il est une empreinte
fondamentale qui en fait la spécificité. Les
caractères essentiels par lesquels elle sera
reconnaissable parmi les différents moments
marquant les histoires humaines. Ainsi, pour
ce qui concerne cette postmodernité en
cours ce seront, à mon sens, le quotidien et
l'imaginaire.

Le quotidien, j'y ai insisté depuis de longues
années, c'est cette capacité de savoir dire oui,
tout de même, à la vie. À ce qui est, sans se
préoccuper de ce qui devrait être, ou pourrait
être. On n'est plus là dans une critique de la

vie quotidienne, mais dans une affirmation de celle-ci, on peut donc le comprendre comme le substrat, le sol sur lequel s'élève cette manière d'être-ensemble qu'est la société.

L'imaginaire quant à lui pourrait être ce ciel des idées qui, d'une manière quelque peu mystérieuse, assure la cohésion de l'ensemble social. Il est une caractéristique de plus en plus sollicitée. La politique, le marketing, l'administration vont y faire, fréquemment, référence. Rendant, par là, attentif au fait qu'on ne peut bien saisir le réel qu'à partir de ce qui en est, apparemment, le contraire : l'irréel. Dans son œuvre magistrale, *Les structures anthropologiques de l'imaginaire*, l'anthropologue Gilbert Durand montre, dès les années 1960, comment toutes les œuvres de la culture et toute vie sociale ne pouvaient se comprendre qu'à partir d'un tel angle d'attaque. L'imaginaire comme levier méthodologique en quelque sorte[1]. Il a montré en quoi cette catégorie à l'œuvre dans toutes les mytho - logies, mais aussi, dans l'art, la peinture, la littérature, la fiction, la poésie, avait été

---

[1]. G. DURAND, *Les Structures anthropologiques de l'imaginaire*, Dunod, 1960. *Cf.* également son dernier « compendium », *Pour sortir du XXᵉ siècle*, CNRS Éditions. 2010. Je renvoie aussi à V. GRASSI, *L'Imaginaire*, Érés, 2004.

durablement stigmatisée. En tout cas dans la tradition occidentale. Peut-être parce qu'elle sollicite le sensible, et pas simplement la raison. D'où cet *iconoclasme*, ce bris des images, réel ou métaphorique, qui fut une tentation récurrente de cette culture.

En fait, cet imaginaire d'antique mémoire, celui des contes et légendes, celui des mythes ancestraux, celui qui est de nos jours vécu dans les jeux vidéo, dans les multiples *afoulements* sportifs, musicaux ou religieux est fort simple. C'est le prix des choses sans prix, c'est l'immatériel, c'est ainsi que l'indique un bon connaisseur de ce domaine, Patrick Tacussel, une *Atmosphère mentale*[2].

Et si l'on veut saisir la logique intime d'un événement, ou d'une suite d'événements, peut-être faut-il savoir en repérer toute la charge imaginaire, ce luxe nocturne de la fantaisie. Tant il est vrai que, de quelque manière qu'on le désigne, c'est bien le fantasme, la fantasmagorie, la fantaisie qui sont à l'origine de tous les événements/

---

[2]. P. TACUSSEL, *L'Imaginaire radical*, Les Presses du Réel, 2007, p. 10.

avènements politiques, économiques ou sociaux. Et ce parce que comme le rappelait celui qui n'était pas le simple « positiviste » que l'on se plaît à décrire, Durkheim : la société n'est, avant tout, que « l'idée qu'elle se fait d'elle-même[3] ». Mais cela prend du temps de repérer l'idée-force à l'œuvre en un moment donné. Car le déclin d'une idéologie surannée est toujours long à se produire. Elle a tendance à perdurer dans les institutions établies où elle survit artificiellement.

On l'a compris, il s'agit de l'idéologie rationaliste qui, issue d'une étoile morte, continue cependant à diffuser dans les nombreuses instances officielles (éducation, politique, social) une lueur incertaine. Idéologie qu'il convient de comprendre en son sens le plus simple. Celui d'ensemble systématisé d'idées et de doctrines influençant les modes de vie individuels ou collectifs.

Et c'est là contre que, grâce au développement technologique, on voit renaître, tel le phénix de ses cendres, l'imaginaire sous forme d'un réalisme magique. Réalisme, car

---

[3]. E. DURKHEIM, *Les Formes élémentaires de la vie religieuse, op. cit.*

il imprègne toutes les *choses* de la vie quotidienne, magique car il revêt ces *choses*
mêmes d'une aura immatérielle, d'un sup-
plément spirituel, d'un rayonnement spécifique, contribuant à leur faire jouer le rôle
qu'avait le totem pour les tribus primitives.
Et l'on entend ici l'écho du poète : « Objets
inanimés avez-vous donc une âme ? »

Voilà ce qu'est la fantaisie postmoderne. Elle
n'est plus détachée de l'existence de tous les
jours, mais en est, au plus haut point, le
cœur battant. Films, livres, cybercultures,
vidéosphère, tout cela porte l'empreinte profonde de l'efficace de l'immatériel. Une telle
féerie contemporaine, trouvant son origine
dans les *fairy tales* des divers royaumes des
fées, de tous les contes et légendes, exprime
bien le retour du sentiment tragique de
l'existence. Non plus une existence que l'on
peut maîtriser en sa totalité, mais qui doit
s'ajuster, tant bien que mal, à des forces la
dépassant. Féerie cosmique traduisant une
forme d'accordance avec Dame Nature.

Voilà en quoi l'imaginaire renaissant marque
une vraie césure avec l'idéologie moderne.
Celle d'un homme seigneur du monde, pos-
sesseur de la nature et maître de lui-même.

Avec cet imaginaire on passe de l'âge de l'homme, en ce qu'il a de limité, à l'« âge des peuples » autrement plus étendu. Ce dernier est celui de la sédimentation culturelle sur la longue durée. Celui de la prise en compte des instincts et du sensible. Celui de la lignée phylogénétique dont tout un chacun est étroitement tributaire.

On a déjà rapproché un tel imaginaire du fameux « Grand Être » dont nous parle Auguste Comte et qui est, selon lui, « l'ensemble des êtres passés, futurs et présents qui concourent librement à perfectionner l'ordre universel[4] ». Voilà un beau conte de fées pouvant faire du vieux Comte un penseur du siècle présent. En corrigeant un tout petit peu sa « loi des trois états » : âges théologique, métaphysique, positif, on pourrait dire que le prémoderne est magique, le moderne théologico-positif et le postmoderne techno-magique.

Techno-magie alliant, d'une manière holistique, la technique et le sensible. Appareillage visuel, objets auditifs, technologies odoriférantes. Si on le dit en termes plus familiers : en avoir plein les yeux, plein le nez, plein les

---

[4]. A. Comte, *Système de politique positive*, *op. cit.*, I, p. 30.

oreilles, plein la peau. Et l'on sait que le cybersexe repose sur de tels présupposés. En prenant cette expression en son sens plénier, le « miracle technologique » est en train de fonder une religion spécifique, tout comme, quoiqu'elles puissent s'en défendre, le miracle est au fondement même de toute religion.

Or ce miracle technologique repose sur la mise en scène des images, et sur le ludique qu'elle ne manque pas d'induire. Muni de multiples prothèses technologiques, l'homme postmoderne appareillé n'a plus besoin de ces prothèses modernes qu'étaient l'expert, le responsable, l'éducateur et autres instances surplombantes. Dès lors le jeu du monde, celui où la raison et le sensible ont part équivalente, celui où l'instinct et les humeurs s'ajustent harmonieusement, va devenir le monde comme jeu.

Oui, on peut rapprocher cela du « Grand Être » dont parle Auguste Comte, ce visionnaire et ce « rétrograde premier sociologue du XXIe siècle ». Paradoxalement réactionnaire et prospectif[5]. C'est ce monde imaginal,

---

[5]. R. DEBRAY, *Critique de la Raison politique*, Gallimard, 1987, p. 336 sq.

celui de la fantaisie omniprésente, qui doit nous inciter à briser nos routines philosophiques. À élaborer une pensée sachant prendre en compte le domaine des humeurs, l'atmosphère, le climat sociétal et celui de l'état d'exception. Je veux dire par là l'état où le mythe, la saga, le *fairy tale,* jouent un rôle non négligeable.

La théorie moderne, les *grands récits de référence* des siècles XVIII et XIX, se sont employés à normaliser le social, à le rationaliser, à le désenchanter. Ils se sont employés, à toute force, à émanciper l'individu des puissances chtoniennes ou cosmiques l'enchaînant au monde des ancêtres, des dieux, du sacré. Les extases quotidiennes, celles des *video games*, de la cyberculture, du cybersexe, de la vidéosphère nous forcent à inverser notre chemin de pensée. Et contre une éducation de la normalisation en appellent à une initiation de l'extase. La pensée comme regard extatique répondant aux extases de la techno-magie.

À l'opposé du concept quelque peu rigide et expliquant un monde clos et purement rationnel, mettre en place une pensée utilisant notions, métaphores, analogies et allusions.

Toutes choses propices à la dynamique (la « *dunamis* », force) de l'image. Jacob Taubes parle, à cet égard, de « métaphorologue[6] ». Terme expressif en ce que, tout à la fois, il laisse ouvert la vitalité quotidienne et, en même temps, se propose de l'aborder avec rigueur. Pensée, en son sens plénier, « essayante ». Proche des essais-erreurs propres à l'existence. En termes plus soutenus, pensée « peirastique », venant du verbe grec (*peirao*) renvoyant au fait de tenter, de risquer et, donc, d'*essayer*. C'est cette sensibilité que l'on retrouve chez le *pirate* qui a la même origine.

Voilà bien à quoi conduit le retour forcené d'une image que l'iconoclasme sémitique avait marginalisée. À une pensée non critique, affirmative, capable de proposer des suggestions révélatrices. Révéler ce qui est là, et que l'on a perdu l'habitude, dans nos routines théoriques, de voir. Et seul le « pirate » risquant et essayant peut être à même de trouver. De savoir donner son prix, à une socialité quelque peu exubérante,

---

[6]. J. TAUBES, *La Théologie politique de Paul*, Seuil, 1999, p. 105. Je renvoie également à mon livre, M. MAFFESOLI, *La Connaissance ordinaire* (1985), Klincksieck, 2008.

traversée de part en part par le règne de l'image.

Le changement climatique en cours est bien l'épuisement de l'esprit moderne : celui ayant vu le triomphe du rationalisme. Et la vraie intelligence du social, c'est la capacité de lier, de relier tous les paramètres à l'œuvre, y compris, justement, ceux de l'imaginal. Puisque j'ai cité A. Comte, et son aspect visionnaire, on peut rappeler qu'il a proposé une distinction capitale, ayant par après été largement utilisée, entre « pays légal » et « pays réel ». Le rationalisme survivant dans les institutions de la société officielle est bien l'apanage du premier. Alors que la société officieuse, celle du « pays réel », est mue par la féerie. Voilà le diagnostic décisif, ne faisant plus fond sur les principes du siècle XIX. Au-delà de la routine, du préjugé restant hantés par les ombres de ces principes, il faut savoir faire preuve d'une radicalité refusant la reconduction du dogme, ce *conformisme logique* servant d'analyse.

Radicalité qui avec justesse, exactitude, lucidité, sait saisir la force intérieure animant, malgré tout, la beauté du monde. Je dis bien « malgré tout ». Car, en dépit des impositions morales, des exploitations économiques, des limitations sociales de tous ordres, « ça » vit. Et c'est ce vouloir-vivre têtu qui est étonnant, ce non-conscient du tragique qui est remarquable.

Je propose d'en voir l'origine dans le partage des images. L'image c'est un monde en raccourci, une cristallisation du cosmos. Son omniprésence contemporaine : télévisuelle, publicitaire, vidéo-sphère, est tout simplement une manière, implicite, de dire « oui » à cette vie-ci. L'accentuation du présent comme présence au monde. L'hédonisme diffus, en ses aspects raffinés ou dans ses manifestations vulgaires, comme expression, irrépressible, d'un immanentisme quelque peu païen. L'immanentisme c'est, tout simplement, être *impliqué* dans cette terre. Se sentir impliqué par elle. S'impliquer dans sa sauvegarde. S'en sentir le gardien.

Alors que le rationalisme, c'est-à-dire la raison érigée en système, explique, l'image implique. Dès lors, ce n'est pas simple afféterie ou pure rhétorique que de montrer qu'à certains moments, la puissance de l'imaginaire retrouve une vigueur renouvelée. Il est nécessaire de briser l'enfermement de nos certitudes dogmatiques, l'enclosure de nos assurances théoriques, le nombrilisme de nos prétentions scientistes. Pourquoi ne pas accepter l'hypothèse, corroborée empiriquement par les histoires humaines, qu'après avoir été fécond un paradigme peut devenir infécond ? Et qu'il laisse, dès lors, naturellement, la place à un autre paradigme. Celui qui fit florès durant les siècles venant de s'écouler fut celui que j'appellerais du « moral-politique » ou, pour le dire en des termes un peu plus savants, « sotério-eschatologique » : un salut pour plus tard, le bonheur à venir, la perfection future. Paradigme dont l'aboutissement étant la modernité.

Le paradigme en train de s'affermir peut être nommé celui de « l'éthique de l'esthétique ». C'est-à-dire d'un lien, d'un liant à partir d'émotions, de passions partagées. L'image étant le vecteur d'une telle esthétique. La cause et l'effet d'un tel *ethos* commun. L'image ayant une fonction sacramentelle, celle de rendre visible une force invisible. Son aura englobant ceux qui communient à elle, en elle. Dans un tel paradigme, ce n'est plus la perfection lointaine, le salut à venir qui importent, mais bien l'ajustement à ce qui est, le fait de s'accorder à la pluralité des aspects de l'existence, en bref, d'accepter la *complétude* du monde et de soi. L'image peut être considérée comme le symbole d'une telle complétude. Elle montre (*monstre*) ce qui est pour ce que cela est et non pour ce que ce devrait être.

L'imaginaire c'est le *daïmon* de Socrate revenant sur le devant de la scène sociale. On se souvient que c'est inspiré par lui que le philosophe exerçait la *séduction* pour laquelle il fut accusé, puis condamné par les pouvoirs établis. D'une manière plus générale, de nos jours, le *démonique* est là présent, omniprésent. Dans les diverses formes de la culture, la production filmique en fait foi où le surnaturel occupe une place de choix, la musique également, techno et black métal le prouvent. Les performances et les chorégraphies aussi remettent au goût du jour les formes séductrices de l'antique tentateur : Satan. La postmodernité laisse s'exprimer cette part du diable[7] dont les images séductrices sont la forme achevée.

---

7. *Cf.* M. MAFFESOLI, *La Part du Diable* (2002), Champ-Flammarion, 2004.

Pour justifier le Dieu Un et la lutte contre les idoles, Saint Augustin assenait : « La raison humaine conduit à l'unité. » Ce fut le début de la rationalisation du divin. Comme en écho, en célébrant la déesse raison, la Révolution française n'a fait que parfaire un tel processus. Mais l'apogée de la déesse en question, au siècle XIX, amorce une réversion, on pourrait dire, en son sens étymologique, une *révolution* faisant revenir les icônes, idoles et autres démons (« *daïmon* ») qu'Il, qu'Elle avait, sur la longue durée, chassés.

Paul Veyne rappelle que quand Constantin se convertit au christianisme, en 312, seulement 5 à 10 % de la population de l'empire est chrétienne. Mais que, très rapidement, il le devient en totalité. Diffusion, dit-il, par « plaques de voisinage[8] ».

Éternelles *lois de l'imitation*, mécanisme de contamination faisant que quand le temps est venu ce qui doit arriver, inéluctablement, advient. Gilbert Durand, dont j'ai rappelé l'apport essentiel pour les études sur l'imaginaire, propose la métaphore du bassin

---

[8]. P. VEYNE, *Quand notre monde est devenu chrétien*, Albin Michel, 2007, p. 10.

sémantique : multiples ruissellements sur les flancs des montagnes qui vont constituer un courant culturel que l'on va nommer et dont on va canaliser les bergers avant qu'ils ne se perdent à nouveau dans le delta et qu'un nouveau cycle recommence.

C'est bien le cycle moderne qui est en train de s'achever, et le ruissellement d'un autre cycle est en œuvre. Après un long moment d'incubation : d'abord secret avec le romantisme, discret avec le surréalisme, puis affiché dès les années 1950 du siècle XX, on assiste à l'avènement de la postmodernité.

Par « plaques de voisinage » la contamination s'accélère. La viralité, on le sait, est à l'ordre du jour. Et les moyens de communication interactive ne sont pas en reste qui favorisent, en tous les domaines, l'épidémie postmoderne. Les contours de son imaginaire se dessinent de plus en plus nettement. Et l'on voit se profiler les nouvelles formes de solidarité prenant la place d'un *contrat* social par trop rationnel. Le *pacte*, plus émotionnel, propre aux tribus prémodernes, tend à reprendre une vigueur nouvelle. N'est-ce point un nouvel *ordo amoris*, où la raison et le sensible, l'intellect et l'affect se conjuguent, qui est en train d'advenir ? En tout cas, et c'est un beau défi, il est urgent de trouver les *mots de passe* de l'époque car pour reprendre la devise qui fut, lors de la vivace Renaissance, celle de Laurent de Médicis : « Le temps revient. »

Les Chalps,
10 juillet 2010.

Table

Du même auteur

Logique de la domination, PUF, Paris, 1976.

La Violence totalitaire (1979), Desclée de Brouwer, Paris, 1999.

La Conquête du présent. Sociologie de la vie quotidienne (1979), Desclée de Brouwer, Paris, 1999.

L'Ombre de Dionysos. Contribution à une sociologie de l'orgie (1982), CNRS Éditions, Paris, 2010.

Essai sur la violence banale et fondatrice (1984), CNRS Éditions, Paris, 2009.

La Connaissance ordinaire. Précis de sociologie compréhensive (1985), Méridiens Klincksieck, Paris, 2007.

Le Temps des tribus. Le déclin de l'individualisme dans les sociétés de masse (1988), La Table ronde, Paris, 2000.

Au creux des apparences. Pour une éthique de l'esthétique (1990), La Table ronde, Paris, 2007.

La Transfiguration du politique (1992), La Table ronde, Paris, 2002.

La Contemplation du monde (1993), Le Livre de Poche, Paris, 1996.

Éloge de la raison sensible (1996), La Table ronde, Paris, 2005.

Du nomadisme. Vagabondages initiatiques (1997), La Table ronde, Paris, 2006.

Le Mystère de la conjonction, Fata Morgana, Saint-Clément de Rivière, 1997.

L'Instant éternel (2000), La Table Ronde, Paris, 2003.

Notes sur la postmodernité, Le Félin, Paris, 2003.

Le Voyage ou la conquête des mondes, Dervy, Paris, 2003.

Le Rythme de la vie, La Table Ronde, Paris, 2004.

La Part du diable (2002), Champs/Flammarion, Paris, 2004.

Le Réenchantement du monde (2007), Perrin, Paris, 2008.

Iconologies. Nos idol@tries postmodernes, Albin Michel, Paris, 2008.

Après la modernité? – La Conquête du présent, La Violence totalitaire, La Logique de la domination, CNRS Éditions, Paris, 2008, coll. « Compendium ».

La République des bons sentiments (2008), rééd. : Embrasure, 2010.

Apocalypse, CNRS Éditions, Paris, 2009.

Matrimonium. Petit traité d'écosophie, CNRS Éditions, Paris, 2010.

**Publications des chercheurs
Centre d'étude sur l'actuel et le quotidien
(CEAQ-Paris Descartes-Sorbonne)
sur la postmodernité**

www.ceaq-sorbonne.org

Stéphane HAMPARTZOUMIAN, *Effervescence techno ou la communauté transc(e)scendentale*, L'Harmattan, Paris, 2004.

Thierry MATHÉ, *Le bouddhisme tibétain et la Soka Gakkai en France. Contribution à une sociologie de la conversion*, L'Harmattan, Paris, 2005.

Olivier SIROST, *Le corps extrême dans les sociétés occidentales*, L'Harmattan, Paris, 2005.

Valentina GRASSI, *Introduction à la sociologie de l'imaginaire. Une compréhension de la vie quotidienne*, Erès, Ramonville Saint-Ange, 2005.

Federico CASALEGNO, *Mémoire quotidienne : communauté et communication à l'ère des réseaux*, Presses de l'université de Laval, Québec, 2005.

Vincenzo SUSCA, *À l'ombre de Berlusconi. Les médias, l'imaginaire et les catastrophes de la modernité*, L'Harmattan, Paris, 2006.

Panagiotis CHRISTIAS, *Littérature et société entre Anciens et Modernes. Les chemins d'Ulysse*, L'Harmattan, Paris, 2007.

Jérôme DUBOIS, *La mise en scène du corps social. Contribution aux marges complémentaires des sociologies du théâtre et du corps*, Paris, L'Harmattan, 2007.

Emmanuel M. BANYWESIZE, *Le complexe. Contribution à l'avènement de l'organisaction chez Edgar Morin*, Paris, L'Harmattan, 2007.

Vincent RUBIO, *La foule. Un mythe républicain?*, Vuibert, Paris, 2008.

Olivier SIROST, *La vie au grand air*, PUN, Nancy, 2009.

Olivier SIROST, *Petite sociologie du camping*, Seuil, Paris, 2009.

Vincenzo SUSCA, Claire BARDAINNE, *Récréation. Galaxie de l'imaginaire postmoderne*, CNRS Éditions, Paris, 2009.

Frédéric VINCENT, *Le voyage initiatique du corps : vers une philosophie du lien*, Éditions Detrad aVs, Paris, 2009.

Lionel POURTAU, *Techno. Voyage au cœur des nouvelles communautés festives*, CNRS Éditions, Paris, 2009.

Christophe GAUDIN, *Le mythe de la finance. Essai sur l'extase de la valeur*, L'Harmattan, Paris, 2010.

Antonio RAFELE, *Métropole. Benjamin et Simmel*, CNRS Éditions, Paris, 2010.

Stéphane HUGON, *Circumnavigations : l'imaginaire du voyage dans l'expérience Internet*, CNRS Éditions, Paris, 2010.

À paraître :

Fabio LA ROCCA, *Regards et visions : climatologie de la ville postmoderne*, CNRS Éditions, Paris, 2010.

Vincenzo SUSCA, *Joie tragique. Les formes élémentaires de la vie électronique*, CNRS Éditions, Paris, 2010